Het Reiki Handboek

De weg van de helende liefde

Walter Lübeck

Oorspronkelijke titel: *Das Reiki Handbuch*
Uitgegeven door: Windpferd Verlag mbH, Aitrang (D) © 1990

Vertaling: Piet Hein Geurink

Omslagontwerp: Chris Kok

Vijfde druk

© 1991 Uitgeverij Schors - Amsterdam

ISBN 90 6378 227 6
NUGI 734
SBO 40

HET REIKI HANDBOEK

Uitgeverij Schors - Amsterdam

INHOUD

WOORD VOORAF

De auteur van het onderhavige boek valt te prijzen, omdat hij, in de moeilijke situatie waarin de natuur- en de op ervaring gebaseerde geneeskunde zich tegenwoordig bevinden, in een goed begrijpelijke vorm een behandelingsmethode beschrijft, die onafhankelijk van alle aanvallen, belemmeringen en wettelijke beperkingen de biologische geneeskunde therapeutische mogelijkheden voor de toekomst biedt. De methode van de reiki-behandeling onttrekt zich aan alle meetbare criteria en valt met het natuurwetenschappelijke denken niet te verklaren. Ze werkt met energieën en krachten, die voor ons verlichte, moderne, in de tijd van de computer levende mensen niet zonder meer te bevatten zijn. Om reiki te begrijpen heb je een wereldbeeld nodig waarin behalve voor de wetenschappelijk vastgestelde feiten een plaats is ingeruimd voor het, in de micro- en in de macrokosmos, reëel bestaan van de vele onbekende verschijnselen, waarvan we ten dele alleen via esoterische kennis op de hoogte (kunnen) zijn.

Iedereen heeft het vermogen om met reiki te werken meegekregen. Wie in zijn leven open door de natuur en wereld gaat, weet dat er talloze onverklaarbare, ontastbare invloeden niet alleen op zijn gevoelens en zijn gedrag inwerken, maar ook op zijn lichaam, zijn welbevinden en zijn ziekten. Willen we reiki echter praktisch voor onszelf of voor anderen gebruiken, dan dienen zeer bepaalde gebieden van ons lichaam en onze ziel geopend te zijn. Dit openen is een proces dat als inwijding door een in de traditionele leer gevormde reiki-meester wordt voltrokken.

Zoals alle therapeutische maatregelen kan ook reiki bij-effecten tot gevolg hebben. Daarom is er een gefundeerde kennis van de methode en haar toepassingsvormen vereist; deze kennis verwerft men gedurende vormingsseminaries onder leiding van een reiki-meester. Dit boek zal helpen de zo verkregen inzichten te verruimen en begrijpelijker te maken en er gewetensvoller mee om te gaan. Door de voor de toekomst te verwachten verdere inperkingen van de biologische geneeskunde zal reiki steeds belangrijker worden, te meer omdat er geen blijvende schade door aangericht kan worden. Reiki is een onschatbare aanvulling op en verrijking van de zachte geneeskunde.

Vooral waardevol lijkt me dat dit boek verbanden tussen reiki en biologische geneesmiddelen legt, doordat het op mogelijke combinaties met planteëxtracten, homeopathische medicijnen en de herontdekte spagirische middelen wijst. Het samenwerken van de reiki-energieën en de voor een deel reeds uit oude tijden bekende natuurlijke geneesstoffen versnelt en verbetert het therapeutische effect aanzienlijk.

Moge dit boek een hulp zijn voor iedereen die, met kennis en kundigheid, verantwoordelijk en met eerbied voor de schepping mens de zieken van lichaam en ziel genezen wil en voor dat doel nieuwe wegen zoekt.

Hannover, april 1990

Horst Kosche, voorzitter van de Duitse Vereniging
voor Alternatieve Geneeskunde

INLEIDING

Waarom ik dit boek geschreven heb

Om te beginnen dit: ik heb het voor jullie allemaal geschreven, niet voor een kleine kring van uitverkorenen of 'experts', en het heeft alle lezers zeer veel te bieden. Wat dan wel hangt echter van je eigen levenssituatie af.

Als je nog geen effectieve inwijding in de reiki-kracht ontvangen hebt, zal het 'reiki-handboek' je uitputtend over de mogelijkheden en beperkingen van reiki informeren. Ik laat je met talloze potentiële toepassingen kennis maken, waarvan vele overigens ook zonder reiki-inwijding zinnig uit te voeren zijn. Ik denk dan bij voorbeeld aan de praktische suggesties in de hoofdstukken 9, 10 en 11. Wanneer je in de methoden van het energetisch genezen geïnteresseerd bent, zullen de gepresenteerde oefeningen en de uitvoerige inleiding tot het werken met de chakra's je vele waardevolle tips geven.

Ben je daarentegen wel door een reiki-meester in de reiki-kracht ingewijd en heb je de daarbijhorende afstemmingen reeds ontvangen, dan krijg je informatie waar je in je praktische werk met reiki op verder kunt bouwen. De twee cursusdagen zijn echter niet voldoende om je een volledig overzicht van de vele toepassingsmogelijkheden van reiki te geven. Dat is heel jammer, want reiki is een prachtig uitgangspunt voor alle reizen en omzwervingen in het eigen Zelf. Of het nu om genezing van jezelf of anderen gaat of om meditatie alleen of in groepen, werken met edelstenen, transformatie van de eigen persoonlijkheid, aromatherapie, reizen naar andere energetische vlakken of het overwinnen van karma - met reiki is dat allemaal en nog zeer veel meer mogelijk.

Dit boek heeft talrijke praktische aansporingen in petto voor je zich steeds verder verdiepende ontmoeting met de reiki-kracht, geeft je belangrijke achtergrondinformatie en heel wat om over na te denken.

Het zou je op je reiki-reizen naar jezelf moeten begeleiden als een trouwe metgezel.

Wanneer je de reiki-kracht dikwijls gebruikt, bij voorbeeld om nader tot jezelf te komen of om je voor de liefde open te stellen, bevind je je reeds op de weg van de 'reiki-do' en volgt het 'pad van de genezende liefde'. Vele mensen weten deze eenvoudige en doelmatige weg van transformatie nog niet te vinden, om de doodeenvoudige reden dat ze er nog niets of nog niet genoeg vanaf wisten. Het 'reikihandboek' kan wellicht in die leemte voorzien.

Uiteraard zal het 'reiki-handboek' je ook verder helpen, wanneer je zelf therapeutisch op genezingsvlak werkzaam bent, want hier vind je de kennis die je in staat stelt je tot nu toe toegepaste werkmethoden effectief aan te vullen met de reiki-kracht.

En hoe kun jij het boek gebruiken?

Ik heb het boek heel zorgvuldig ingedeeld, zodat je ieder hoofdstuk als op zichzelf staand eruit kunt lichten en je, wanneer je dat wilt, ook eerst wat op de afzonderlijke toepassingsgebieden van de reiki-kracht kunt rondsnuffelen. Ben je van plan reiki therapeutisch of ter aanvulling van je werk als therapeut toe te passen, dan dien je je nochtans uitvoerig in de gehele tekst te verdiepen, waarbij je vanzelfsprekend niet verplicht bent je aan de gepresenteerde volgorde van de hoofdstukken te houden. Let er wel op dat bepaalde hoofdstukken elkaar aanvullen en dientengevolge ook samen bestudeerd moeten worden.

Voor professionele toepassing is hoofdstuk 12 uitermate belangrijk, aangezien je daar basisinformatie krijgt die je in staat stelt je reikiwerk op mogelijke medicaties af te stemmen.

Pas je de reiki-kracht hoofdzakelijk voor 'huis-, tuin- en keukengebruik' toe, dan zul je veel hebben aan het hoofdstuk over de algehele behandeling en de therapeutisch index in de appendix, waardoor je doelmatiger met de dagelijkse 'kwaaltjes' van jezelf en je familie kunt afrekenen.

Wil je met reiki graag over de 'weg van de genezende liefde' gaan, dan kun je het beste de tekstpassages die jou op een bepaald moment aanspreken telkens weer opnieuw lezen en de oefeningen doen waar je het meeste plezier in hebt. Dat is de eenvoudigste manier om met reiki in contact te blijven. En dat is belangrijk. Bepalend voor het succes van het werken met reiki is namelijk dat je zo vaak mogelijk met de reiki-kracht in aanraking komt. Wanneer je er zin in hebt, zal het je gemakkelijker vallen dan wanneer je er een 'plicht' van probeert te maken. Reiki is levens- en genezende liefdesenergie en geen dwangbuis.

Veel plezier met het lezen en proberen!

Hoofdstuk 1

REIKI-DO

DE WEG VAN DE GENEZENDE LIEFDE

Reiki is een Japans woord voor de 'universele levensenergie', de goddelijke kracht die ons doet leven. Do is eveneens Japans en betekent
hetzelfde als het Chinese begrip van de Tao, in het Nederlands 'weg'.
In het Japans voegt men dit 'do' aan bepaalde begrippen toe, om
daarmee te kennen te geven dat de erdoor beschreven werkzaamheid
tegelijkertijd een levensweg kan zijn, die de praktizerende helpt zijn
persoonlijkheid te ontwikkelen en zijn leven naar het ritme van het
universum te richten. Judo, bushido, aikido en kendo zijn daarvan de
bij ons in het Westen bekendste voorbeelden.

Voor mij is het omgaan met reiki zo'n levensweg geworden. Ik ben
me steeds meer van zijn eigenschappen bewust geworden en heb ze
ten slotte in een harmonieus systeem samengebracht, dat ik reiki-do
noem. Reiki-do omvat onder meer het traditionele Usui-systeem van
reiki.

Dr. Mikao Usui, de Japanse theoloog naar wie dit systeem ver-
noemd is, ontdekte de lang geleden in vergetelheid geraakte kunst
van het genezen door het overdragen van universele levensenergie na
vele jaren intensief zoeken in de geschriften van een volgeling van
Gautama Boeddha. Dat gebeurde aan het einde van de vorige eeuw
in een boeddhistisch klooster. Na een daaropvolgende, 21 dagen durende periode van vasten en mediteren werd hij door God in deze
kunst ingewijd. Vanaf dat moment bezat dr. Usui het vermogen om
reiki-energie over te dragen en andere mensen tot een kanaal van de
reiki-kracht te maken. Via zijn opvolgende grootmeesters dr. Chujiro
Hayashi, Hawayo Takata en Phyllis Lei Furumoto kwam reiki ten

slotte in de westerse wereld. Wil je de volledige geschiedenis van rei-ki in onze tijd kennen, dan kun je daarover in de boeken van Baginski en Sharamon of Paula Horn lezen. Deze schrijvers hebben ze heel mooi verteld. Het traditionele Usui-systeem van reiki ligt aan de basis van mijn reiki-do. Pas door de inwijdingen daarvan en de ermee samenhan-gende symbolen en methoden wordt reiki-do mogelijk. Veel verkla-ringen en praktische toepassingen van de technieken van reiki heb ik gevonden door mijn ervaringen met het Oudchinese orakelsysteem I Tjing, de chakraleer en de innerlijke gevechtskunsten van Azië. Ook de oude 'huna'-leer van Polynesië gaf me met betrekking tot reiki-do belangrijke stimulansen. De belangrijkste methoden van reiki-do wor-den in het verdere verloop van de tekst beschreven.

Voordat we daar nader op ingaan, wil ik op deze plaats graag al vast enkele fundamentele punten over het 'waarom' en 'hoe' van rei-ki-do behandelen. Natuurlijk kunnen ervaringen nooit volledig uit een boek geleerd worden. Voor dat doel geef ik seminaries, waarin deze ervaringen feitelijk overgedragen worden. Maar het boek ver-richt een andere waardevolle functie: je kunt het er telkens weer op naslaan en er ideeën voor nieuwe ontdekkingen uit opdoen.

Persoonlijk beleef ik de essentie van reiki als liefde: een allesomvat-tende goddelijke vibratie, die vreugde en leven laat uitstromen. Voor velen is deze op het eerste gezicht abstracte visie moeilijk na te voe-len, want ook wie van zichzelf beweert deze allesbestrijkende liefde te begrijpen, maakt zich maar al te vaak iets wijs. Ik weet niet of een le-ven toereikend is om liefde werkelijk te bevatten en je er op alle vlak-ken voor open te stellen. Maar wanneer ik het contact toesta, brengt reiki met altijd weer met haar in aanraking. Aangezien ieder zijn ei-gen weg naar God en daarmee naar de liefde moet gaan, is het in mijn zienswijze belangrijk over vele praktische mogelijkheden te beschik-ken om je voor je eigen weg open te kunnen stellen.

Veel van de wegen die ik met reiki 'uitgeprobeerd' en als zinnig er-varen heb, zal ik langzamerhand introduceren. Een inleidend over-zicht van de aan reiki-do, aan de 'weg van de genezende liefde' inhe-rente mogelijkheden en mijn ideeën betreffende de theoretische ach-tergronden ervan, zal je niettemin helpen de praktijkmethoden beter te begrijpen. Deze ideeën zijn mijn persoonlijke visie en uiteraard door mijn bril 'gekleurd'. Misschien ontwikkel je een andere, voor jou kloppender visie. Dat zou mij plezier doen, want zo blijft reiki-do levendig. Voordat ik dus op de praktische mogelijkheden van reiki-do inga, wil ik je graag een en ander over de eigenlijke werkingswijze van de reiki-energie vertellen.

Reiki is noch positief, noch negatief. Hij vertegenwoordigt de hoogste de mens ter beschikking staande vibratie van levensenergie. Deze vibratie bezit een goddelijke kwaliteit en sluit dientengevolge niets uit. Ze brengt ons in contact met de levensimpulsen van de wereld, brengt ons dus 'eenzijn'. Alle menselijke problemen en gezondheidsstoornissen vloeien in laatste instantie voort uit de illusie van het 'gescheiden-zijn' van de wereld.

Uit dit gevoel van eenzaamheid streven mensen naar saamhorigheid, naar zekerheid. Velen proberen zekerheid en liefde te verwerven door macht. Ze geloven dat ze de wereld dusdanig moeten hervormen, dat ze aan hun behoeften tegemoetkomt, waarbij ze er voortdurend voor dienen te waken dat anderen hun inspanningen niet verijdelen (concurrentiedenken). Een dergelijk bewustzijnsniveau staat ver van God af. Anderen geloven dat ze eerst een schuld moeten inlossen om weer zekerheid en liefde van God te mogen krijgen. Deze mensen ploeteren vaak heel hun leven lang om de vermeende schuld af te lossen. Het lukt hen natuurlijk nooit, want deze schuld is een illusie. Voor zulke mensen is het dikwijls het beste, wanneer een bepaalde ervaring hun duidelijk maakt dat ze vrij van alle schuld zijn. Dan kunnen ze eindelijk God gaan waarnemen, die eigenlijk al zo lang naast hun stond en op hen wachtte. De reiki-afstemming of een reiki-sessie kan een dergelijke ervaring zijn, aangezien in dat proces God door het directe contact met zijn energie gemakkelijker waarneembaar wordt. Weer anderen zijn er rotsvast van overtuigd dat de weg naar God inhoudt dat men alles vermijdt wat leuk is. Spelen, erotiek en seks, eten en drinken, dansen en feestvieren dienen in hun ogen 'uitgebannen' te worden. Maar stevent de mens niet op een robot-bestaan af, wanneer hij alle genot verloochent en onderdrukt? Verwijdert hij zich daardoor juist niet verder van God, die immers de personificatie van levendigheid, vreugde en liefde is?

Deze uiteenlopende levensstrategieën zijn stuk voor stuk verschijningsvormen van de illusie van het gescheiden-zijn van het goddelijke. Onder hun last gelooft de mens dat hij nooit en te nimmer mag doen wat hij leuk vindt, dat hij onder geen enkele omstandigheid gelukkig mag zijn. Hindernissen op de weg ziet hij vervolgens als aansporingen om nog harder voor zichzelf te zijn, om nog meer plichten op zich te nemen.

Maar wat gebeurt er met deze levensstrategieën, wanneer iemand de reiki-kracht aanvaardt en ze werkelijk in zichzelf toelaat?

In de cursus voor de 1e reiki-graad (de inleiding in het Usui-systeem van reiki) valt steeds weer hetzelfde verschijnsel waar te nemen: de deelnemers komen de eerste avond heel sceptisch naar de cursus. Ze praten weinig met elkaar en laten niet veel van hun gevoelens blijken. Ze zijn zoals ze bijna altijd zijn - geïsoleerd van de rest van de wereld. Na de eerste afstemming op de reiki-kracht beginnen ze echter al met elkaar te praten. De eerste lach verschijnt op hun gezicht. En dan ontdooien de deelnemers bij iedere afstemming hoe langer hoe meer en ervaren hun nieuwe levendigheid. Aan het einde van de cursus gaan allen met elkaar om alsof ze al lange tijd intieme vrienden waren. Ze tonen hun gevoelens, omhelzen elkaar, voelen zich met de anderen begaan en komen tot zichzelf. Vaak wellen er tranen op, wanneer een deelnemer gaat inzien hoe lang hij geïsoleerd is geweest en dat dat nu door de ervaringen van liefde en verbondenheid en het daaruit voortkomende gevoel van geluk plotseling verdwijnt. Iets soortgelijks gebeurt er, zij het meestal niet zo snel, met een cliënt na veelvuldige behandeling met reiki. Ook hij wordt levendiger en opent zich opnieuw voor zijn liefdevolle verbondenheid met de wereld.

Voor het werken met reiki geldt de basisregel dat de recipiënt van de reiki-kracht op onderbewust niveau zelf beslist of en zo ja, hoeveel levensenergie hij zou willen opnemen. De kracht wordt dus niet het lichaam ingeperst, maar door de recipiënt zelf naar 'binnengetrokken'. In zijn werkzaamheid houdt reiki vervolgens rekening met de individuele behoeften van de betrokkene. De universele levenskracht laat ons onze persoonlijke vrijheid om ons ervoor af te schermen wanneer we dat willen, en ondersteunt ons openstellen en onze ontwikkeling wanneer we daarvoor kiezen.

Alle levende wezens dragen hetzelfde goddelijke aspect in zich, door welke ze pas tot leven komen. Iedereen is derhalve in zekere zin

God, omdat zijn innerlijkste kern goddelijk is. Maar juist vrijheid van keuze is een belangrijk facet van deze goddelijkheid. Deze vrijheid inzien en ernaar leven, is een belangrijke stap in de ontwikkeling van ieder mens. Want het aanvaarden van de vrijheid om zelf aan het eigen leven vorm te geven, betekent ook het aanvaarden van de eigen persoonlijkheid. Kan ik mijn persoonlijkheid aanvaarden, dan ben ik automatisch zeker en integer in de omgang met andere mensen en bovenal in mijn contact met God. Een vrij mens kan God open en waarachtig tegemoettreden. Hij hoeft niet om genade te smeken en zich klein te maken.

Op het vaste fundament van een vrije persoonlijkheid kunnen mensen met wederzijdse achting en respect voor elkanders individualiteit met elkaar omgaan. Niemand hoeft 'verstoppertje te spelen', alleen maar omdat hij vreest dat hij zijn medemensen zijn 'ware gezicht' niet mag laten zien.

Het werken met reiki vindt kortom van het begin af plaats op basis van achting voor anderen. We kunnen ook eenvoudig niet anders te werk gaan, omdat de universele levenskracht geen 'therapeutische overheersing' toestaat. Wel kan het gebeuren dat in de loop van een reiki-behandeling onuitgedrukte gevoelens naar de oppervlakte van het bewustzijn komen en zich soms in heftige uitbarstingen lucht verschaffen. Wie zulke uitbarstingen nog niet eerder beleefd heeft, kan ervan schrikken. Schade van welke aard ook kan door reiki nochtans niet aangericht worden.

Mensen die veelvuldig met reiki omgaan, ontwikkelen al snel hun eigen levendigheid. Het 'noodlot' bedeelt hen minder met 'zware klappen' in de vorm van ongevallen en ziekten, omdat reiki hen helpt hun persoonlijkheid van binnenuit te ontwikkelen zonder druk van buitenaf. De levensenergie vindt steeds meer en steeds harmonieuzer uitdrukkingsmogelijkheden, aangezien oude verstoppingen mettertijd weggenomen worden en nieuwe zich niet kunnen vastzetten. Het geregelde contact met de reiki-kracht bevordert de creativiteit en, daarmee samenhangend, de actieve uitdrukking van het Zelf in het eigen bestaan. Niet angst drijft ons, maar vreugde motiveert ons tot werken: wat we graag willen geeft ons creatieve aansporingen. We kunnen ons gemakkelijker uit kluisters der dwangmatigheid bevrijden en zijn in staat nieuwe en gezonde verbindingen te vormen. Deze fundamentele herstructurering kan om te beginnen natuurlijk onzekerheid en angst wekken en we zullen eraan moeten werken de nieuwe ruimte met leven te vullen. Maar het is feitelijk mogelijk met de hulp van de reiki-kracht over deze weg der levendigheid te gaan. Vóór de ontmoeting ermee schijnt deze nieuwe levendigheid velen zo onwaarschijnlijk toe, dat ze zelfs niet op de gedachte komen ze als mogelijke zijnswijze voor zichzelf te overwegen.

Dat is, kort samengevat, het effect van de reiki-kracht op onze psychische toestand. Op de organen van ons lichaam oefent ze, bij nauwkeurige beschouwing, eigenlijk een zelfde invloed uit. De universele levenskracht ontspant de lichaamsdelen waarin ze binnengelaten wordt. Spanning betekent angst en de bereidheid tot vechten. Waar de liefde zich echter verbreidt, is er geen strijd en ook geen kramp meer. Vandaar dat ook acute ontstekingen onder invloed van reiki zo snel verminderen. Ze zijn het symptoom van een strijd, die onvermijdelijk moet losbreken, wanneer het leven zich tegen een blokkade verweert. Reiki opent voor de zich in deze strijd uitlevende energieën andere, harmonieuze kanalen, zodat door het opnieuw stromen de blokkade opgelost wordt. De confrontatie tussen de tegenstrijdige krachten wordt daardoor overbodig.

Op de ontspanning volgt een stimulering van de stofwisseling door de nieuwe, door het lichaam stromende levendigheid. Plotseling functioneren de uitscheidingsmechanismen weer beter, kunnen oude ballaststoffen afbreken en het afzetten van nieuwe verhinderen. Daardoor openen zich weer andere lichaamsgebieden voor de levensenergie en aldus voor ontspanning. Hoe schoner de fijnstoffelijke en organische kanalen worden, des te levendiger de mens op de prikkels uit de omgeving reageert. Na het oplossen van vele de waarneming belemmerende blokkades kan hij de werkelijkheid in haar totaliteit waarnemen en is hij zelf vitaler, aangezien de voordien in de verstoppingen vastgelopen energieën nu vrij stromen. Om die reden werken ook de psychische en fysiologische afweermechanismen beter: de immuniteit, de instinctieve waarnemingen, de huid met al zijn beschermende functies en het energetische scherm van de aura. Voor het bereiken van dat alles zijn er slechts twee voorwaarden: ten eerste de traditionele afstemming op het zich openen voor de reiki-kracht en ten tweede de zo regelmatig mogelijke toepassing ervan.

Naar mijn bevinding hebben mensen er vaak moeite mee zich voor een reiki-seminarie op te geven, omdat ze niet begrijpen waarom het gaat. Het is daarom belangrijk voor iedereen heel persoonlijk de juiste woorden te vinden, woorden die hem echt aanspreken en hem om zo te zeggen 'in zijn innerlijk raken'. Ieder mens hunkert naar liefde en eenheid, maar iedereen drukt deze primaire behoefte anders uit. De een zegt dat hij graag gezond wil zijn, de ander dat hij dichter bij God wil komen, de volgende dat hij samadhi wil beleven. In wezen komt het allemaal op hetzelfde neer. Aangezien de behoefte weliswaar steeds dezelfde is, doch zich in de vorm van vele uiteenlopende wensen openbaart, dient de reiki-leraar de gave te bezitten om zijn ervaring in algemeen begrijpelijke woorden te formuleren, zodat zijn boodschap ook begrepen kan worden door degenen die niet tot de 'spirituele scene' behoren. Dat is moeilijk, omdat men het niet gewend is, maar het zal voor velen de toegang tot reiki vergemakkelijken, zo niet pas voor het eerst mogelijk maken.

Overigens garandeert deelneming aan een reiki-cursus nog niet dat de reiki-kracht daarna geregeld aangewend wordt. De korte duur van het seminarie is ontoereikend om iedere deelnemer op alle mogelijkheden van reiki te wijzen. Velen missen de voorkennis om na de cursus zelfstandig en alleen met de kracht te experimenteren. Hoe zou het ook anders kunnen! Wie zou er nou op het idee komen om aan zijn chakra's te werken, wanneer hij niet eens weet dat ze bestaan, laat staan hoe ze werken? Of om nog een ander voorbeeld te geven, hoe zou hij kunnen weten dat reiki kan helpen een kamerplant van mijt te genezen?

Nu hoor je in esoterische kringen zo nu en dan het vooroordeel dat voor de praktische toepassing van een bewustzijnsverruimende methode een bepaalde 'rijpheid' vereist is. Wie ze niet beoefent, is er eenvoudig nog niet 'rijp' voor. Naar mijn ervaring klopt dat niet. Wat er ontbreekt, is de persoonlijke sleutel, die nieuws- en leergierigheid wekt.

We zijn het tegenwoordig gewend alles verstandelijk te bevatten. Dingen die zich aan het intellectuele begrip onttrekken, boezemen ons aanvankelijk vaak angst in of vervelen ons, omdat we er niets mee kunnen beginnen. De meeste mensen hebben in het begin een formule nodig, waarnaar ze zich kunnen richten en die voor hen begrijpelijk is en een basis schept voor latere eigen ontwikkelingen. Dat is net zoals bij de oude 'innerlijke gevechtskunst' Tai Chi Chuan, waarbij in het begin een bepaalde volgorde van bewegingen geoefend wordt, zodat de leerling met de principes van de kunst vertrouwd raakt, waarna hij de vrijheid krijgt voor zijn persoonlijke uitdrukking binnen het kader van de universele wet der beweging, het levendige spel van yin en yang.

Met reiki-do, de weg van de genezende liefde, kan nu iedereen die aan een reiki-cursus heeft deelgenomen, over een gelijksoortige basis voor verdere oefening beschikken.

Het systeem van reiki-do

Om de werking van reiki te veraanschouwelijken, heb ik het beeld uit figuur 1 bedacht. De yin/yang-monade moet de eeuwige stroom van de levensenergie symboliseren. Hij vloeit permanent van de ene pool naar de andere en verandert onder het stromen reeds van kwaliteit, zodat de voorwaarde voor de omkering van de beweging wordt geschapen. Dit kosmische ritme werkt op het leven van de mens in, wat weergegeven wordt door de uit het centrum van de monade komende energiestraal. Zodra deze energie in iemands leven komt (het midden van de liggende acht of lemniscaat), zwengelt ze groeiprocessen aan. De linkerkant van de lemniscaat symboliseert de yin-pool, of vormgevende, materiële aspecten, de rechterkant de yang-pool, of de ideële, vrijheidlievende toestand in het levensproces. Aan de yang-zijde is de mens zich van zijn vrijheid en mogelijkheden bewust. Hij is vol zelfvertrouwen en begeeft zich in nieuwe levenssituaties om ervaringen op te doen en zijn krachten te beproeven. Ideeën worden geboren, plannen gemaakt en de toekomst gepland. Dan begint hij ermee zijn plannen uit te voeren en zijn projecten te verwezenlijken. Aangezien de bronnen en ruimte in de wereld echter beperkt zijn, en hij ook niet ingezien heeft wat het hem toekomende deel ervan is, zal hij onvermijdelijk in conflict komen met anderen, die eveneens hun eigen plannen willen verwezenlijken. Hoe meer hij aandringt, des te grotere hindernissen er opduiken. De frustraties (belemmeringen van zijn vooruitkomen) in de buitenwereld veroorzaken lichamelijke en psychische blokkades in zijn binnenwereld. Hij wordt ziek, verliest

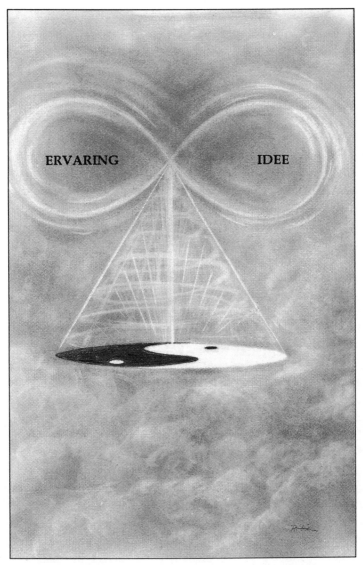

Afb. 1: Het leven is een wisselend spel van Yin en Yang

kracht en is ontevreden met zijn leven. Wanneer hij dan inziet dat al zijn inspanningen hem uiteindelijk niets verder helpen, zal hij vertwijfeld naar een uitweg uit zijn misère zoeken.

Op een bepaald moment beseft hij dat hij zijn problemen niet in de buitenwereld kan oplossen. Hij keert zich tot zichzelf en zoekt bij zichzelf naar oplossingen voor zijn moeilijkheden. Hoe meer hij zich bezighoudt met het onderkennen en verwerken van de in hem rustende oorzaken van zijn problemen, des te levendiger hij wordt. Er ontstaan nieuwe ideeën en nieuwe vaardigheden worden ontwikkeld. Nu heeft hij de yin-lus van een ervaringsvlak doorlopen en begeeft zich weer naar de yang-kant - zij het echter op een hoger ervaringsniveau. Hij heeft immers vele nieuwe situaties ervaren en verwerkt. Alle eruit gewonnen inzichten en nieuwe vaardigheden staan hem nu ter beschikking. Werd hij opnieuw met deze ervaringen geconfronteerd, dan zou hij er soevereiner mee kunnen omgaan. Maar dat zal niet gebeuren. De klok laat zich niet terugzetten. Hij bevindt zich al weer bij het plannen smeden en uitwerken van projecten, in het midden dus van een nieuwe yang-lus, die hem met nieuwe problemen zal confronteren. Spoedig zal hij zich weer in de buitenwereld begeven om zijn ideeën werkelijkheid te laten worden. Er begint een nieuwe kringloop van het leven...

Deze evolutiewet, de verdere ontwikkeling door de confrontatie van het leven met de begrensde mogelijkheden van de trage materie, is voor ons principieel onontkoombaar. Wel kunnen we invloed uitoefenen op de grootte van de yin- en yang-lussen. Hoe bewuster, levendiger en gevoeliger iemand zich in een leersituatie toont, hoe fijnere weerstanden al voldoende zijn om een constructieve confrontatie met de remming van de levensenergie in te leiden. Als een aikidomeester voelt hij alle agressieve impulsen uit de omgeving van tevoren aan en benut die voor zijn eigen bewegingen, waarmee hij de energie erom heen leidt. Zo wisselen idee en vormgeving zich harmonieus en zonder grote schokken af. Grote ontwikkelingsprikkels, zoals zware ziekten, ongelukken of andere slagen van het noodlot, zijn niet nodig om een ontwikkelingsproces in gang te zetten. Om zo gemakkelijk te kunnen leren, moet iemand zoveel mogelijk vrij van blokkades zijn, die immers zijn gevoeligheid en reactiemogelijkheden beïnvloeden. Met zijn ontspannende werking schept reiki daarvoor de beste voorwaarden.

Reiki-do omvat in principe drie mogelijkheden voor persoonlijke ontwikkeling, die we ieder op zich of ook samen, in zekere zin synergetisch, in ons leven kunnen verwerkelijken. Onze geestelijk-psychische aanleg bepaalt welke van die mogelijkheden voor ons als toegang in aanmerking komt. Dit zijn ze:

Innerlijke reiki-do

Uiterlijke reiki-do

Synergetische reiki-do

De innerlijke reiki-do maakt gebruik van de technieken van reiki-meditatie, die in hoofdstuk 11 geschetst worden. Verder hoort het meditatief werken met reiki en edelstenen, met geuren en klanken als genotvolle, zinnelijke belevenissen op alle niveaus van het eigen lichaam ertoe. We kunnen daar reeds uit opmaken dat de innerlijke reiki-do zich niet in de eerste plaats op het bereiken van voorgenomen doelen richt, maar het 'lustprincipe' volgt. Zijn belangrijkste methode is de algehele behandeling. Het ondergaan ervan is leuk en een genot tegelijk. Wie introvert aangelegd is en graag ervaringen via zijn innerlijk bewustzijn opdoet, biedt deze weg een breed werkterrein. De innerlijke reiki-do is een mystieke weg. Naarmate we hem langer volgen, ontwikkelt ons bewustzijn zich en gaan we ons levendiger voelen. Wanneer je meer over de innerlijke reiki-do wilt weten, zullen de hoofdstukken 4, 9, 10, 11 en 13 je waardevolle suggesties aan de hand doen.

Uiterlijke reiki-do is in wezen het voor verschillende doeleinden inschakelen van de reiki-kracht. Op het bereiken van doelen en succes gerichte (dus eerder extraverte) mensen willen over het algemeen 'resultaten' zien. Door aan hun chakra's te werken in combinatie met reiki, door gebruik te maken van edelstenen, geluiden en geuren en andere aanvullende methoden voor het wegnemen van blokkades, kunnen ze doelgericht aan hun problemen werken en plezier scheppen in de resultaten daarvan. Door zich te verdiepen in het ritme van het leven, de eeuwige wet der evolutie, zoals deze bij voorbeeld in de I Tjing, het oeroude Chinese orakelboek der wijsheid, is opgetekend, kunnen ze zich bewuster van de eigen mogelijkheden worden en de eigen plaats bepalen, vanwaaruit verdere ontwikkelingen gepland kunnen worden. Wanneer je je voor de uiterlijke reiki-do interesseert, zullen de hoofdstukken 2, 3, 5, 6, 7, 8, 9, 10, 12 en 14 je suggesties voor de beoefening ervan geven.

Zoals de naam al laat vermoeden, versmelt de synergetische reiki-do de methoden van de innerlijke en de uiterlijke reiki-do in een harmonieus geheel. Deze vorm is vooral geschikt voor iedereen die al 'het een en ander achter de rug heeft' en daardoor tot het inzicht is gekomen dat het lustprincipe en resultaatgericht handelen elkaar geenszins uitsluiten, doch juist zinnig aanvullen. Wanneer je je voor dit doorslaggevende inzicht geopend hebt, zul je plezier beleven aan heel het boek en alle suggesties erin dankbaar oppakken.

De reiki-levensregels

We staan vandaag de dag op de drempel van een nieuw tijdperk en vele mensen hebben er misschien moeite mee zich op de nieuwe omstandigheden in te stellen. Daarom is het naar mijn mening alleen maar zinnig, methoden zoals reiki te introduceren op een manier die het velen mogelijk maakt zich met de hulp ervan positief te ontwikkelen op alle gebieden van hun leven. Ik hoop dat mijn suggesties jullie nieuwsgierig naar reiki maken en er uit de in het boek gepresenteerde basismethoden al gauw vele nieuwe zullen ontstaan.

We hebben de contouren van reiki-do reeds geschetst, maar zijn voorstelling zou toch onvolledig zijn, wanneer we ons niet ook bezighielden met de oorspronkelijke reiki-levensregels, zoals dr. Usui ze overgeleverd heeft. Ik heb ze aan het dagboek van Hawayo Takata ontleend. Ik hecht er waarde aan ze hier weer te geven, aangezien in elk reiki-boek andere staan en vele reiki-meesters weer andere hanteren. Waarom weet ik niet. Misschien bevallen deze oorspronkelijke regels je net zo goed als mij. Ik vind dat ze bij reiki passen. Ze luiden als volgt:

Wees juist vandaag niet ontstemd

Deze regel heeft bij mij steeds weer veel reacties losgemaakt. Waarom zou ik niet ontstemd zijn? Ik heb recht op mijn gevoelens! Ik laat ze me niet zomaar verbieden! Wat is dat nou! En meteen was ik pisnijdig. Misschien wilde dr. Usui met deze regel laten zien aan wat voor banale zaken we ons dikwijls ergeren. Wanneer ik met deze regel niets op heb, staat het me vrij hem terzijde te schuiven en me er niét meer over op te winden. Doe ik echter niet. Ik erger me er liever aan dan het meest voor de hand liggende te doen. Zo verdoe ik mijn tijd. Ja, ja: wees juist vandaag niet ontstemd...

Maak je juist vandaag geen zorgen

Ik maak me aan een stuk door zorgen. Ik weet niet hoe het jou vergaat! En daar maak ik me zorgen over. Misschien pluk je aldoor vrolijk de dag en laat je het zorgen maken aan mij over. En iedereen vindt je leuk, omdat je vrolijk bent. Maar ik vind het niet leuk, omdat ik me zorgen maak en heel knorrig kijk. Als jij je nou toch eens een paar zorgen zou maken! Dan was er tenminste een mens minder voor wie ik angst hoef te hebben en hoef ik me er geen zorgen over te maken dat jij je kennelijk geen zorgen maakt. Wanneer ik me juist vandaag geen zorgen maakte, zou ik eenvoudig zo in de dag leven en plezier hebben in mijn leven. Maar dat gaat niet zo gemakkelijk. Ik zou me dan immers niet meer met de problemen van de wereld bezighouden en me er geen zorgen meer over maken of jij daar niet een beetje bezorgd over bent.

Weer aardig voor je buren

Zijn mijn buren dan soms ook aardig tegen mij? Dat weet ik nog zo net niet. En wat wanneer ik aardig jegens hen was en zij mij onbegrijpend aanstaarden? Mens, wat zou dat pijnlijk zijn! Ik wacht liever tot ze een keer aardig tegen mij zijn. Dan voel ik me zekerder. Misschien ben ik dan ook eens aardig tegen hen.

Verdien eerlijk je brood

Doe ik toch. Doen we toch allemaal. Zelfs mijn belastingopgave klopt tot op de cent. Nou ja, een beetje bijgeschaafd... Maar allemaal te rechtvaardigen, allemaal legaal. Is toch niet meer dan rechtvaardig, of niet soms? De staat heeft toch geld zat. Die paar gulden meer of minder. En ik meld me ook maar zelden ziek. Eerlijk. En wat dan nog, die daarboven verdienen toch genoeg. Díe zou je eens moeten vragen of ze hun brood eerlijk verdienen. Mensen als wij moeten er toch scherp op letten dat we niets tekort komen. Maar bij de volgende loononderhandelingen zul je nog eens wat zien. Dan wil ik een 34-urige werkweek en 10% loonsverhoging, nogal logisch. De vakbond zal daar wel voor zorgen. Die jongens zijn zo gewiekst. En ik dus, ik verdien mijn brood eerlijk.

Wees dankbaar voor de vele zegeningen

Welke zegeningen eigenlijk? Vandaag was het buiten hartstikke warm, gisteren regende het. 's Avonds komt er bijna nooit wat op tv, en dus moet ik, als me niks anders te binnenschiet, wel naar de bioscoop gaan. Anders verveel ik me stierlijk. Je kunt immers niet eeuwig thuis rondhangen en zuipen. Ja zegeningen dus, ik kan me er niets bij voorstellen! Ik zal het morgen mijn vriendin eens vragen. Het beste kan ik van mijn werk opbellen, dat kost minder. Misschien schiet haar iets te binnen waarvoor ik dankbaar zou kunnen zijn. Dan kan ik haar ook meteen vragen of we morgen naar de disco gaan.

Je ziet het, de reiki-levensregels zijn lang zo dom nog niet. Heel goede 'denkhulpen' voor het bepalen van hoe we ervoor staan. Ze kunnen ons laten zien waar we in het leven staan en wat voor ons belangrijk is. Morele voorschriften in de zin van 'geboden' of 'verboden' zijn ze niet.

De invloed van reiki op de levenswijze

Veel mensen leiden een zeer hectisch, disharmonieus leven. Hoogtepunten en drukkende situaties wisselen elkaar in hoog tempo af en zijn zo geprononceerd, dat alleen al door de intensiteit van de ervaringen de zenuwen en organen overbelast worden. Mettertijd leiden zulke voortdurende extreme situaties tot desinteresse, afwijzend gedrag en cynisme. Verlossing wordt dan meestal in oppervlakkige belevingen (veel, vaak, sterk, rijk, mooi) gezocht. Dit zoeken veroorzaakt op zijn beurt stress, omdat in deze ervaringen geen duurzame tevredenheid en harmonie gevonden wordt. Het leven speelt zich overwegend in het uiterlijke (geldingsdrang) of het innerlijke (afwijzing) af. Het beleefde blijft aan de oppervlakte van de persoonlijkheid steken en kan voor het merendeel niet in het wezen van de betrokkene geïntegreerd worden, aangezien het los staat van de leeropgaven die hem voor deze incarnatie (als ideale persoonlijke levensweg) gesteld zijn. Indien geregeld toegepast giet reiki olie op de levensgolven. Langzamerhand ontwikkelt er zich een zowel innerlijk als uiterlijk uitgebalanceerde levenswijze. Doordat je nader tot je ideale persoonlijke levensweg komt, verdwijnt na verloop van tijd alle grilligheid en oppervlakkigheid. De levenskwaliteit wordt door de integratie van het beleefde almaar groter. Tevredenheid vloeit voort uit het besef iets te leren wat aan de verrijking van de persoonlijkheid bijdraagt. Ziekten, of het nu psychische of lichamelijke zijn, verbeteren en verdwijnen of zijn plotseling te genezen met geneeskundige methoden, die daarvoor niets konden uithalen. Door de permanente toevoer van hoogfrequente levensenergie werken het derde oog, dat voor het inzien en beseffen van de ideale persoonlijke levensweg verantwoordelijk is, en het krachtcentrum, de wortelchakra, harmonieus samen.

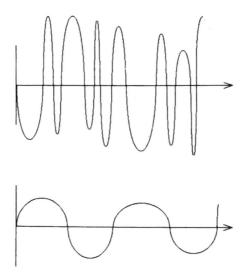

Afb. 2: boven: een door stress gekenmerkt leven;
onder: stress-release met reiki

Hoofdstuk 2

MOGELIJKHEDEN EN GRENZEN VAN REIKI

De reiki-kracht sorteert in principe vijf effecten:

- *ze leidt tot diepe ontspanning,*
- *ze heft energieblokkades op,*
- *ze ontgift,*
- *ze voert genezende levensenergie (vitaliteit) aan, en*
- *ze verhoogt de vibratiefrequentie van het lichaam, doordat ze er extra levensenergie aan verstrekt.*

Uiteraard werken al deze processen voortdurend samen. Door de diepe ontspanning en het daarmee gepaard gaande 'loslaten' lossen sterke samentrekkingen (blokkades) op lichamelijk en psychisch-geestelijk niveau zich op. Dank zij het wegnemen van samentrekkingen kan de levensenergie in alle gebieden normaal stromen en kunnen ballaststoffen en toxinen (vergiften) afgevoerd worden. Is het organisme eenmaal blijvend ontgift dan heeft het meer ruimte voor levendige processen en daardoor kan het meer levensenergie opnemen, opslaan en verbruiken. Hoe meer levensenergie er in het lichaam is, des te hoger zijn frequentie wordt. En daardoor komen we nader tot God (Christus, wereldziel, de godin of hoe je het/hem/haar ook noemt). Dit contact met de allesomvattende eenheid (liefde) schenkt vertrouwen (godsvertrouwen). De mens weet nu dat God er voor hem is, hem aanneemt. Het daaruit resulterende gevoel van zekerheid heeft een toestand van diepe ontspanning tot gevolg (karmaverlossing). Vanuit deze zekerheid maakt de mens van zijn nieuwe levendigheid gebruik op voor hem voorheen ontoegankelijke ervaringsterreinen (vrijheid van het individu). Maar wanneer hij te veel van zichzelf vergt, voelt hij zich ook daar weer van de goddelijke liefde afgesneden. Hij raakt opnieuw gespannen: er begint een nieuwe cyclus van zuivering en groei.

Reiki is, in het kort gezegd, diepe ontspanning, teweeggebracht door het versterkte contact met de goddelijke energie, waarvan we onder invloed van reiki meer opnemen dan we normaliter kunnen opnemen. Bij de reiki-sessie wordt de bovengrens van de hoeveelheid reiki-energie bepaald door de capaciteit van degene die er als kanaal voor dient. De recipiënt van de reiki-kracht neemt gedurende het contact net zo veel levensenergie op als hij wenst. Dat is een eenvoudige wet, waarmee meteen ook een grens aan de reiki-therapie is gesteld.

Wil iemand om de een of andere reden, bewust of, wat meestal het geval is, onbewust, geen contact met God hebben, dan stroomt er ook geen reiki-kracht naar hem toe; dan stroomt er gewoonweg helemaal niets. Deze begrenzing vloeit voort uit schuldgevoelens, de overtuiging te 'slecht' of te 'zondig' te zijn om God rechtstreeks te mogen 'aanraken'. Dit 'zonde-' of 'schuldcomplex' is de grootste sta-in-de-weg bij de genezing. Wanneer je gelooft dat je je ziekte verdient, zul je niets toelaten wat je bij je genezing kan helpen.

Maar ergens zit er in iedere mens een goddelijke vonk. Het gaat erom de zieke zich bewust te laten worden van deze vonk van goddelijke energie, goddelijke liefde, zodat hij inziet dat Gods liefde geen voorwaarden stelt. God houdt van ieder zoals hij is. Van de moordenaar niet minder dan van de heilige.

Een levensgevaarlijke ziekte is een wedloop tegen de klok. Het gaat erom de dood uit te stellen totdat de zieke zijn eigen goddelijke vonk gewaarwordt. De gevestigde medische wetenschap kan die belangrijke taak vervullen. Met haar tegenwoordig welhaast fantastische therapeutische mogelijkheden kan zij de zieke in geval van nood deze belangrijke tijd garanderen. Zij kan het leven verlengen en zo de zieke de kans geven om zich van zijn schuldcomplex te ontdoen. Gedurende deze tijd kunnen psychotherapeutische gesprekken en therapieën, de aanwezigheid van aardige, liefdevolle medemensen met begrip voor de situatie van de zieke, de natuurgeneeskunde en ook het werk met de technieken van de 2e reiki-graad (mentale behandeling) de zieke helpen geleidelijk zijn, tussen hem en zijn genezing staande, schuldcomplex te verwerken.

Naar mijn bevinding is niemand tot de een of andere ziekte verdoemd, behalve dan als hij echt ziek wil zijn. Altijd drukt in een ziekte een gezonde behoefte van iemand zich uit in de voor hem op dat moment gemakkelijkst bereikbare ruimte. Vindt deze behoefte een nieuwe, gemakkelijker bereikbare ruimte, dan zal ze zich daar uiten. Als iemand er bij voorbeeld behoefte aan heeft de liefde van zijn medemensen te ervaren en kan hij het zichzelf niet toestaan deze ervaring in gezonde toestand op te doen, dan kiest hij vroeger of later een bij hem passende ziekte ter rechtvaardiging voor de ervaring. Daaruit kun je gemakkelijk opmaken waarom iemand zijn ziekte nodig heeft. Let er maar eens op hoe zijn gedrag en dat van zijn sociale omgeving zich door de ziekte verandert.

Is de zieke ook maar in enigermate bereid zich voor nieuwe ruimten, nieuwe ervaringsmogelijkheden open te stellen, dan is precies die bereidheid het belangrijkste aangrijpingspunt voor een zinnige, succesvolle behandeling, want ze geeft uitdrukking aan zijn wil tot leven, die noodzakelijkerwijs de wil tot gezond-zijn in zich sluit.

Hoe staat het nu met het recht van de zieke op zijn ziekte? Naar mijn overtuiging behoren we dat te accepteren. Vandaar dat ik niemand zal proberen te helpen die de hulp categorisch afwijst. Hij zal zijn gegronde redenen hebben om mijn hulp niet te wensen. Uit achting voor zijn waardigheid als levend wezen zal ik zijn afwijzing aanvaarden. Ook wanneer ik er niets van begrijp. Een mens dient het recht te hebben om zelf over zijn lot te beslissen, zonder zijn beslissing voor anderen te hoeven rechtvaardigen.

Wel kan het zijn dat als hij mijn vorm van hulp afwijst, er misschien een ander is wiens hulp hij dankbaar zou aannemen. Dan is het mijn taak het contact met die ander te leggen en de weg vrij voor hem te maken. Opgedrongen genezingsactiviteiten staan in mijn ogen gelijk aan verkrachting.

De grenzen van de zelfbehandeling met reiki

Velen houden zich met meditatietechnieken en orakelmethoden bezig of leren reiki, omdat ze ervoor terugschrikken aan hun problemen te werken via interactie met anderen, bij voorbeeld in een psychologische therapiegroep. Deze 'vlucht naar binnen' leidt tot niets.

Hoe waardevol en nuttig zulke methoden ook kunnen zijn, ze kunnen je alleen helpen je levendiger te voelen. Het leven zelf zijn ze niet. Evenmin is reiki het leven zelf. Wanneer je serieuze problemen met jezelf of anderen hebt, of je schijnbaar onbeduidende moeilijkheden eigenlijk van ernstige aard zijn, ga dan naar een ervaren therapeut die je vertrouwt. Hij kan je helpen met je angsten om te gaan wanneer ze de kop opsteken, je opvangen wanneer je denkt te vallen en je nieuwe, levendige wegen tonen en je bij je eerste pasjes terzijde staan. Je zult in je therapie sneller vooruitgang boeken en eerder op eigen benen verder kunnen gaan, wanneer je jezelf geregeld algehele behandeling met de reiki-kracht gunt. Heb je eenmaal op deze manier een schragend fundament gelegd, dat wortel schiet in je persoonlijkheid, dan kun je je met reiki op deze basis ook positief verder ontwikkelen. Het dagelijks leven is, wanneer je geleerd hebt constructief te leven, therapie genoeg.

Hetzelfde geldt voor lichamelijke ziekten. Heb je het gevoel ernstig ziek te zijn, dan kun je het beste een goede arts in de natuurgeneeswijze zoeken. Wanneer je een ernstige ziekte op je eentje probeert te genezen, zal je poging vrijwel zeker op niets uitlopen. Als ze bij zichzelf een ernstige ziekte vaststellen, gaan tenslotte zelfs mensen die een medische of psychologische opleiding gevolgd hebben naar een collega. Hetgeen evenwel niet wegneemt dat je met reiki ter ondersteuning van de eigenlijke behandeling ook organische schade en kwalen kunt verzachten en aan de totale genezing ervan kunt werken.

Samenvatting:
Mogelijkheden en grenzen van de reiki-toepassing

Eerste graad
Mogelijkheden:
- *Diepe ontspanning*
- *Wegnemen van blokkades*
- *ontgifting*
- *Toevoeren van levensenergie*
- *Verhoging van vibratiefrequentie*

Grenzen:

- *Geen of geringe bereidheid tot opnemen*
- *Te kleine capaciteit van het reiki-kanaal (groepsbehandeling!)*
- *Regelmatige sessies zijn niet mogelijk*
- *Niet uitvoerbaar, wanneer er geen direct contact met de zieke bestaat*
- *In acute noodgevallen slechts beperkt toepasbaar (alleen ondersteuning van de eerste hulp is mogelijk)*
- *Niet bruikbaar voor zelfbehandeling bij ernstige ziekten, doch alleen ter ondersteuning van de behandeling.*

Tweede graad

Mogelijkheden:

- *Alle mogelijkheden van de 1e graad, echter met aanzienlijk veel grotere capaciteit voor de reiki-energie*
- *Voor de reiki-sessie hoeft er geen direct (in dezelfde ruimte) contact te zijn (behandeling op afstand)*
- *Bij bewuste bereidheid, maar onbewuste blokkering van het genezingsproces is het wegnemen van deze blokkades mogelijk (mentale behandeling).*

Grenzen:

- *Bewuste afwijzing van de genezing*
- *Te geringe capaciteit (groepsbehandeling!)*
- *Niet effectief, indien er geen geregelde sessies mogelijk zijn*
- *In acute noodgevallen niet als enige hulp bruikbaar, doch alleen mogelijk ter ondersteuning van de eerste hulp*
- *Geen zelfbehandeling van ernstige ziekten mogelijk, maar alleen ter ondersteuning van de behandeling daarvan.*

Hoofdstuk 3

DE ZIN VAN RITUELEN BIJ
DE ALGEHELE BEHANDELING MET REIKI

In de inleidende cursus voor de 1e reiki-graad laten de meeste reiki-leraren voor en na de algehele behandeling enkele rituelen zien. Helaas ontbreekt meestal echter de tijd om deze handelingen toereikend te verklaren. Veel reiki-leerlingen vergeten ze dan ook weer, voeren ze na verloop van tijd verkeerd uit of hechten er te veel belang aan. Zoals bij alle rituele handelingen is het ook bij deze 'reiki-rituelen' belangrijk de zin en het nut ervan te kennen. Daarover wil ik het nu hebben.

Het afdoen van sieraden

Bijna alle mensen dragen graag sieraden: edelstenen, halfedelstenen, edelmetalen, voorwerpen van hout of leer. Hoe mooi deze dingen ook zijn, ze gaan op energetisch vlak gepaard met enige problemen. Metalen en stenen trekken bepaalde fijnstoffelijke energieën aan. In de natuurgeneeskunde wordt van deze eigenschappen bij de therapie gebruik gemaakt om 'negatieve energieën' uit het lichaam te trekken. De capaciteit van deze kleine helpers is evenwel beperkt. Edelsteentherapeuten weten uit ervaring dat ze voor genezingsdoeleinden gebruikte stenen geregeld dienen te reinigen. Laten ze het na, dan kunnen de mooie stenen niet meer helpen of veroorzaken in erge gevallen zelfs zelf ziekte. Bovendien verspreiden van negatieve energieën doortrokken edelstenen een corresponderende straling. Hetzelfde gaat op voor metalen, glas en kunststoffen. Organische materialen, zoals hout en leer, laden zich daarentegen niet zo gemakkelijk met negatieve energieën uit de omgeving op.

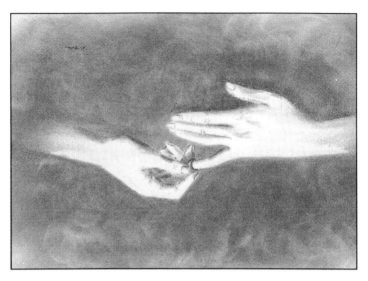

Afb. 3: Het afdoen van sieraden

Sieraden die we heel de dag door dragen, komen onvermijdelijk met een heel scala van stralingen in aanraking. Als ze met negatieve energieën uit de omgeving 'verzadigd' zijn, werken ze als kleine stoorzenders en zullen ze hun drager, al naar gelang van zijn gevoeligheid voor fijnstoffelijke vibraties, minder of meer irriteren. Zo verdwijnt je hoofdpijn in bepaalde gevallen tamelijk snel, wanneer je je bril regelmatig onder stromend water schoonmaakt. Een geval apart zijn oorbellen in welke vorm ook. Op de oorschelp liggen duizenden acupunctuurpunten, die heel het lichaam kunnen beïnvloeden. Oorbellen zijn er vlak naast vastgemaakt en zenden dientengevolge hun storende straling rechtstreeks in de energiekanalen van het lichaam. Aangezien er bij iedere reiki-sessie een zo storingvrij mogelijke atmosfeer geschapen behoort te worden, dient het aanbeveling deze sieraden dan ook af te doen. (Zie voor het schoonmaken van sieraden de appendix.)

Ringen, kettingen en horloges vormen vaak gesloten circuits van metaal. Zoals gemakkelijk met de pendel of de 'diamant-armtest' vast te stellen valt, wordt de energiestroom in het lichaam daardoor teruggebracht. Weliswaar stroomt er onverminderd reiki, omdat de reikikracht nu eenmaal een hogere energievorm dan de meridiaanenergie representeert, maar het fijnstoffelijke energiesysteem van het lichaam kan wegens de belemmering door dit metalen circuit niet honderd procent op de reiki-kracht reageren.

Kwartshorloges zenden zelfs ononderbroken hun eigen ritme van fijne elektromagnetische vibraties uit. Deze trillingen kunnen elektronisch en radiologisch gemeten worden. Het menselijk lichaam heeft een andere trillingsfrequentie en wordt, doordat het het ritme van het kwartshorloge waarneemt, er constant door van de wijs gebracht. Het moet er als het ware tegenin werken. Daarom zou deze storingsbron minstens gedurende de reiki-sessie uitgeschakeld moeten zijn. En voor de rest van de tijd: er zijn heel mooie en betrouwbare mechanische horloges te koop. Wil je wat goeds voor jezelf doen, schakel dan daarop over!

Deze adviezen gelden vanzelfsprekend ook voor het reiki-kanaal, dat de reiki-energie naar zijn cliënt over laat stromen. Evenals de cliënt kan ook hij bij elke sessie profiteren van de door hem stromende energie. En dat des te meer, naarmate hij van tevoren mogelijke storingsfactoren uit de weg heeft geruimd.

Het wassen van de handen

'Ik was mijn handen in onschuld,' zei Pontius Pilatus volgens het Nieuwe Testament bij de veroordeling van Christus. Dat is dan wel niet precies het mooiste voorbeeld van de symboliek van het handenwassen, het bevat niettemin wel het sleutelwoord: onschuld.

Het wassen van de handen heeft naast de voor de hand liggende hygiënische ook een esthetische betekenis. De handen komen voortdurend met vele dingen in aanraking en transpireren ook. Bij de eerste posities van de algehele behandeling worden ze pal op of naast het gezicht opgelegd. Ze zijn dus goed te ruiken en door de zeer gevoelige gezichtszenuwen duidelijk waar te nemen. Ruiken ze neutraal en plakken ze niet op de huid, dan is dat zeer aangenaam voor de recipiënt van de reiki-behandeling.

Een andere reden om voor en na de reiki-behandeling de handen te wassen, moeten we op fijnstoffelijk vlak zoeken. Het menselijk lichaam wordt door een energieveld omringd: we hebben een aura. We kunnen deze met de methoden van de Kirliaanse fotografie zelfs

Afb. 4: Het wassen van de handen

zichtbaar maken. De aura vervult op het fijnstoffelijk vlak ongeveer dezelfde functies als de huid op het grofstoffelijk. Hij beschermt de innerlijke energielichamen en zorgt voor het doorgeven van fijnstoffelijke informatie en energieën, die naar en van het lichaam stromen. Net als het huidoppervlak houdt de aura indrukken vast van de dingen waarmee hij in aanraking komt. Gevoelige mensen kunnen door zulke indrukken van streek raken. Stromend water spoelt ze evenwel weg. Het handenwassen na de reiki-sessie helpt, door het schoonmaken van de eigen aura op de aanrakingspunten, de indrukken los te laten die van de behandelde persoon zijn blijven 'kleven'.

Ingeval je om de een of andere reden eens een keer niet over water kunt beschikken, kun je met je handen ook langs een kaarsvlam strijken. Ook dat is al genoeg voor een energetische zuivering.

Het gebed

Voordat ik aan een algehele behandeling begin, vouw ik mijn handen ter hoogte van mijn hart als in een gebed en vraag er in gedachten of hardop om een reiki-kanaal te mogen zijn en om genezing van de persoon op wie ik zo meteen mijn handen ga opleggen. Dan breng ik mijn handen omhoog naar het voorhoofd, buig mijn hoofd en bovenlichaam en laat ze weer tot de hoogte van mijn hart zakken. Dit ritueel is een gebaar van respect voor degene voor wie ik nu een reiki-kanaal zal zijn. Tegelijkertijd aanvaard ik zo mezelf en hem echter ook in diepste zin.

Afb. 5: Het gebed

Het samenbrengen van de handen verzinnebeeldt de vereniging van mijn yin- en yang-delen, mijn licht- en schaduwzijden op het niveau van mijn hart. Op dit niveau voltrekt zich het proces van het liefdevol aanvaarden van de wereld, de mensheid, mijn Zelf. Buiten dit niveau is een waarachtige aanvaarding van de werkelijkheid niet mogelijk. Hier verenigen de eisen en feitelijkheden van de materiële wereld zich met die der fijnstoffelijke sferen. Door dit deel van het ritueel aanvaard ik symbolisch vol liefde mijzelf. Pas daardoor ben ik in staat werkelijk begrip voor anderen te hebben en hen met hun scherpe kantjes, licht- en schaduwzijden eveneens liefdevol te aanvaarden. Dit acceptatieproces is een zuivere gevoelskwaliteit, die niet tot op de bodem rationeel geanalyseerd kan worden. Velen beschrijven ze als 'Christusenergie'.

Na de symbolische vereniging in liefde breng ik mijn handen omhoog naar mijn voorhoofd, naar mijn 'derde oog', dat mij het inzicht en de berusting in mijn persoonlijke weg schenkt. Alleen wanneer ik mijzelf aanvaard heb, kan ik dit niveau bereiken. Daarmee accepteer ik dat mijn weg niet mijn voorstellingen hoeft te volgen: ik laat mijn machtsaanspraak vallen, de eis dat alleen mijn 'ik' mijn ontwikkeling mag sturen.

Met vreugde aanvaard ik nu dat mijn ontwikkeling inderdaad een heel andere loop kan nemen dan ik me had voorgesteld en in mijn verbeelding al uitgestippeld had. En desondanks zal ze volkomen en passend voor mijn wezen zijn. Deze positieve, open instelling noemde men vroeger eenvoudigweg 'godsvertrouwen'.

Wat ik van mezelf aanvaard, kan ik ook in een ander accepteren. Ik geef hem aldus symbolisch de vrijheid om met de reiki-energie te groeien zoals hij wenst, en niet zoals hij naar mijn idee zou moeten groeien. Met het handgebaar buig ik tegelijkertijd mijn hoofd en draag daarmee de verantwoordelijkheid voor het groeiproces over aan God, Christus, Boeddha - of hoe je de belichaming van de hoogste volkomenheid ook wilt noemen. En ik erken de waardigheid van degene voor me. Omdat op dit moment enkele van zijn problemen zichtbaarder zijn dan de mijne, is hij natuurlijk nog niet minder waardevol, wijs of belangrijk voor de wereld dan ik.

Het gladstrijken van de aura

Voordat je je handen oplegt, kun je de aura van je cliënt gladstrijken. Daartoe ga je naast hem zitten, legt je linkerhand op je hara en strijkt met je vlakke rechterhand op ongeveer 20 cm afstand langs zijn lichaamsmidden van hoofd tot voeten. Bij de voeten aangekomen, draai je je hand verticaal en trekt hem dan dicht langs je eigen lichaam weer naar het hoofd. Daar begin je opnieuw. Deze handeling wordt in totaal driemaal uitgevoerd. Na beëindiging van de reiki-ses-

Afb. 6: Het gladstrijken van de aura

sie leg je je linkerhand op de hara (onderlichaam) of het heiligbeen (onder aan de rug) van je cliënt en herhaalt de handelingen uit het begin. Met deze techniek bevorder je het contact. De cliënt zal je op de drempel van zijn innerlijke fijnstoffelijke waarneming opmerken. Je klopt als het ware op zijn deur en vraagt binnengelaten te worden. Je trapt hem niet in en zegt: 'Hopla, hier ben ik!' Doordat je je ontvangende linkerhand op je hara legt en met je gevende rechter het contact tot stand brengt, toon je hem je Zelf, je centrum. Zonder opsmuk. Want door het reiki-contact neem je zowel je eigen als zijn Zelf zonder masker waar. Deze processen spelen zich merendeels min of meer onbewust af, maar zijn er niet minder werkelijk en belangrijk om! Door de beweging van je vlakke hand in de stroomrichting van zijn aura-energie van hoofd naar voeten, laat je je aanwezigheid overal blijken, strijkt oppervlakkige energieophopingen glad en stimuleert het harmonieus stromen van energie in de aura.

Na de reiki-sessie herhaal je de handelingen om afscheid te nemen. Ditmaal leg je evenwel je linkerhand op zijn hara of heiligbeen op, op zijn centrum dus. Daarmee laat je hem zijn eigen kracht voelen en laat hem zien dat hij onafhankelijk van jouw energie is.

De energieveeg

Tot besluit van de behandeling kun je met verticaal gehouden hand nog snel een 'veeg' geven van bekken tot schedel over het lichaamsmidden.

Deze techniek verspreidt energie uit de wortelchakra over heel het lichaam. Ze werd door de medicus Franz Anton Mesmer reeds aan het begin van de vorige eeuw toegepast, om mensen uit een flauwte te laten bijkomen of energie naar hen te geleiden. De verbluffende werking van deze methode kun je met behulp van de uit de kinesiologie afkomstige armtest verifiëren.

Daarvoor heb je een partner nodig, die zijn arm horizontaal strekt. Jij probeert deze arm met een snelle beweging naar beneden te drukken. Let op zijn weerstand. Vervolgens geef je met je hand je partner een negatieve energieveeg langs zijn lichaamsmidden van hoofd naar bekken. Test dan opnieuw zijn armkracht. Ze zal nu in de meeste ge-

Afb. 7: De positieve energieveeg

vallen aanzienlijk zwakker zijn. Geef je daarna een positieve veeg (dus van bekken naar kruin), dan zal je partner in de meeste gevallen met grotere kracht reageren. Meer over deze test kun je vinden in het werk van bij voorbeeld John Diamond.

Je zult je nu wellicht afvragen hoe belangrijk deze rituelen voor het succes van een reiki-behandeling kunnen zijn.

Nou, dat hangt wezenlijk van jouw instelling en die van je cliënt af. Je moet weten hoe belangrijk bij voorbeeld het gebed voor jou is. Het nut van een ritueel wordt altijd bepaald door jouw bewuste participatie. Vind je een ritueel zinnig, voer het dan ook met zo groot mogelijk bewustzijn uit. Maar dwing je tot niets - dat zou een ontwikkeling eerder tegenwerken.

Vind je het niet belangrijk, bestudeer dan goed degene die zo meteen reiki van je gaat krijgen, en beslis dan of het volgens jou zin zou hebben het ritueel voor hem in de sessie op te nemen. Wanneer hij met de rituelen en hun betekenis bekend is, kun je hem in geval van twijfel laten beslissen. De reiki-rituelen zijn overigens gemakkelijk te begrijpen. De zin van het handenwassen bij voorbeeld zal iedereen gemakkelijk inzien. In geen geval mag je een ritueel uitvoeren zonder je bewust te zijn van het concrete nut ervan. Vind je het totaal zinloos, laat het dan! Misschien vind je het later nog eens zinnig het ritueel voor je persoonlijke groei te gebruiken. Alle beschreven rituelen kun je voor je persoonlijke ontwikkeling gebruiken. Ook zoiets simpels als het handenwassen. Want wat betekent zuiverheid eigenlijk? Is het voor jou overbodig dat je rust, zuiverheid om je heen schept, wanneer je je midden wilt ervaren, of voel je je er juist wel bij? Rituelen functioneren in principe als een hefboom. Door een beetje energie van je weg te geven, zet je de kosmische wetten in werking, en die zorgen er dan voor dat er een hoop energie in beweging komt. De reiki-kracht zelf heeft de rituelen niet nodig. Ze stroomt altijd! Maar jou kunnen de rituelen helpen bewuster om te gaan met het proces waardoor reiki in beweging komt. In veel gevallen kunnen ze de werking van de reiki-kracht ook versnellen, doordat ze jou of je cliënt ontvankelijker gemaakt hebben. Vandaar dat de reiki-rituelen een belangrijk onderdeel van de reiki-do zijn.

De rituelen na de reiki-sessie

Na afsluiting van de algehele behandeling strijk je nogmaals de aura glad en geeft de energieveeg. Dan bedank je ervoor dat je de reiki-kracht hebt mogen doorgeven, wast je handen en geeft de cliënt misschien enkele adviezen mee op de weg: hij zou veel water moeten drinken en douchen, alcohol vermijden, veel rusten enzovoorts.

Samenvatting:
De zin van rituelen bij de algehele reiki-behandeling

- **Sieraden en kwartshorloge** *afdoen, ter vermijding van potentiële storingsfactoren, die het stromen van de reiki-energie belemmeren of de harmoniserende werking ervan beperken.*
- **Handen wassen** *voor lichamelijke en fijnstoffelijke zuivering, opdat de cliënt niet in de war raakt.*
- **Het gebed** *betekent volgens de hermetische wet van 'zo binnen, zo buiten', dat je jezelf aanvaardt en de machtsaanspraak van je 'ik' laat vallen,*

zodat de werking van de reiki-energie niet van begin af slechts in bepaalde gebieden toegelaten wordt.

- **Het gladstrijken van de aura** *dient het leggen van contact en de stimulering van de functies; aan het eind van de behandeling echter ook het afscheidnemen en verbreken van de verbinding.*
- **De energieveeg** *dient ter versterking en stimulering.*

Hoofdstuk 4

DE VOORDELEN VAN
DE ALGEHELE REIKI-BEHANDELING

Evenmin als het wezen van iemand kunnen we zijn lichaam in van el-kaar gescheiden functionerende aparte delen ontleden. Ieder orgaan, iedere cel, iedere levensuiting hangt direct of indirect met al het ande-re samen, wordt daardoor ondersteund en ondersteunt die zelf. Treedt er op een bepaald gebied een stoornis op, dan zijn de oorzaken en gevolgen ervan even zo goed op andere gebieden aanwezig. Heb je bij voorbeeld moeilijkheden met de spijsvertering, dan zullen die, veroorzaakt door de onvolledige verwerking van de voeding, na ver-loop van tijd repercussies hebben op de rest van je lichaam. In de ve-tweefsels, in de spieren, de bloedvaten en de gewrichten zullen zich hoe langer hoe meer ballaststoffen afzetten. Je ontgiftingsorganen moeten constant overuren maken om de stroom van toxinen een halt toe te roepen. Aangezien ze er op den duur echter overbelast door ra-ken, zullen er waarschijnlijk ergens ontstekingen ontstaan. Daardoor weer krijgt je lymfatisch systeem een en ander te doen, omdat het lymfvatenstelsel onder andere dient om de bij ontstekingen afgege-ven afvalstoffen weg te voeren. Door deze pathologische verkeerde ontwikkeling word je traag, en dus blijf je in je vrije tijd liever thuis, in plaats van zoals vroeger te gaan sporten. Je lymfsysteem wordt echter door beweging aan de gang gehouden. Je nietsdoen remt het functioneren ervan nog eens extra. Al spoedig kan dat resulteren in aandoeningen van de amandelen of blindedarmontsteking (de blin-dedarm behoort eveneens tot het lymfsysteem). Je immuunsysteem wordt onophoudelijk overbelast en delft al bij de geringste aanval van griepverwekkers het onderspit. Wanneer er dan ook nog met de chemische wapenstok met antibiotica, pijnstillende middelen en cortison wordt gezwaaid, zijn drastische gezondheidsproblemen nauwelijks nog af te wenden.

Zelfs de reiki-behandeling van de ontstoken lymfklieren (amandelen) in de keel haalt weinig uit en levert, zo iets, slechts een oppervlakkige verbetering op. De reden is heel eenvoudig: de oorzaak van de overbelasting is immers niet weggenomen.

Zelfs wanneer er een oorzaak van de overbelasting vastgesteld kan worden, wat bij langdurige chronische toestanden heel lastig kan zijn, zijn er door de talloze verbanden tussen de lichaamsfuncties ook daar weer oorzaken van. Meestal smeulen ergens in het lichaam meerdere onderdrukte ontstekingen.

Juist in zo'n situatie dien je bij reiki-sessies niet uitgebreid naar oorzaken te zoeken, maar langere tijd alleen de algehele behandeling te geven. Door de verschillende posities, via welke in het verloop van de ongeveer anderhalf uur durende behandeling reiki overgebracht wordt, worden alle belangrijke organen in een op elkaar afgestemde volgorde van de vitaliserende reiki-energie voorzien. Op die manier wordt de reactiebereidheid van het lichaam langzaam maar gestaag weer hersteld en kunnen de energiebanen en stofwisselingssystemen weer geleiden en belast worden.

Dit proces is heel belangrijk. Bijna alle natuurgeneeswijzen proberen de genezende reacties van het lichaam zelf op te wekken. Vaak kan het sterk met gifstoffen geladen lichaam deze opwekking tot zelfgenezing echter niet meer bijbenen. In de homeopathie past men dan zogenaamde reagentia toe, die het organisme zo ver moeten brengen dat het wel op de prikkeling reageert. De algehele reiki-behandeling lost dit probleem heel wat eenvoudiger op. Zonder dat er maar wat rond wordt geëxperimenteerd, wordt de stofwisseling gestimuleerd, wat op zijn beurt een ingrijpende ontslakking op gang brengt. Met de tijd wint het lichaam als vanzelf zijn reactievermogen terug.

Maar de algehele behandeling heeft nog een ander voordeel, aangezien ze direct en grondig de fijnstoffelijke energiebanen en het stofwisselingssysteem regenereert. Vaak lijden natuurlijke geneeswijzen schipbreuk doordat het lichaam eenvoudig niet meer het vermogen bezit om de in beweging gebrachte energieën te kanaliseren. Die vormen immers ook een extra belasting en onder hun druk stort het lichaam volledig in.

De lever, de nieren, het hart kunnen de door de kuur bewerkstelligde extra belasting niet bolwerken en willen niet meer. Reiki herstelt het belastingsvermogen in veel gevallen heel snel. Reiki stelt het lichaam in staat harmonieus gebruik te maken van de opgewekte genezende reacties.

Wanneer het lichaam door het genezingsproces verzwakt wordt, helpt de algehele reiki-behandeling de voor het overwinnen van de ziekte benodigde energieën beschikbaar te stellen. Daarom is reiki een zinnige ondersteuning van alle natuurlijke geneesmethoden. Hij zou gedurende de totale therapie als extra middel toegepast moeten worden en kan ook na beëindiging daarvan aan het gezond en sterker maken van het organisme bijdragen.

Bij een therapie met chemische, dus allopathische middelen kan reiki de bijwerkingen reduceren en na beëindiging van het innemen het lichaam helpen zich van het chemisch regime te herstellen. Juist na chemotherapie bij kanker kunnen algehele reiki-behandelingen hun dienst bewijzen. Hetzelfde geldt voor de nabehandeling van operaties. Na een operatie is het lichaam aanzienlijk verzwakt. Het moet nieuwe weefsels vormen, de operatieschok verwerken en misschien ook nog met ziektekiemen afrekenen. Vaak is er sprake van sterke wondpijn. Later kunnen niet vakkundig ontstoorde littekens (storingsvelden) voor nieuwe klachten zorgen. Algehele reiki-behandelingen gedurende deze tijd voeren extra levensenergie aan naar het lichaam en helpen het zo de zware belasting de baas te worden. Door de geregelde toepassing van reiki meteen na een operatie treedt er vaak geen of slechts sterk verminderde wondpijn op. Het vergroeien van weefsels wordt versneld en dikwijls zijn met reiki behandelde littekens nauwelijks te zien en hebben ze geen storingsveldkarakter. Belangrijk daarbij is de regelmaat van de reiki-sessies. Alleen dan is blijvend succes verzekerd.

Algehele reiki-behandeling voor de persoonlijke ontwikkeling

Vormen chronische ziekten voor jou geen thema? Des te beter! Juist wanneer je je gezond voelt, kun je met de algehele reiki-behandeling veel goeds bereiken.

Regelmatig toegepast verhoogt reiki op alle vlakken je gezonde reacties op je omgeving. Je laat meer dingen tot je toe, omdat je opener wordt. Je treedt mensen en de wereld minder verkrampt tegemoet. Daardoor voel je je steeds zekerder worden. Je gaat er ook hoe langer hoe intensiever door leven en hebt meer aan je ervaringen. Tegelijkertijd voorkom je ziekten of geneest verborgen ziektekiemen voordat ze kunnen toeslaan. Sluimerende vermogens worden geactiveerd. Je kunt gemakkelijker leren en het geleerde beter toepassen. Moeilijk te geloven? Probeer het dan zelfs maar eens. Deze positieve veranderingen zijn immers in wezen allemaal gevolgen van een diepergaande ontslakking en beleving van het lichaam, die ook bij andere natuurlijke geneesprocessen waar te nemen valt. Hoeft iemand zijn energie niet improduktief aan het overwinnen van blokkades en chronische kwalen te verknoeien, dan worden hem automatisch geweldige mogelijkheden geboden voor zijn ontwikkeling en persoonlijkheidsontplooiing.

Algehele reiki-behandeling en verjonging

Natuurlijk kun je je met reiki ook op alle niveaus verjongen. De reiki-kracht behoort dan wel niet tot de veelgeroemde 'verjongingsbronnen', ze is niettemin heel wat effectiever en in feite goedkoper dan de meeste op de markt verkrijgbare pillen, druppels en drankjes. Schade aanrichten kun je met de algehele reiki-behandeling niet. Bij preparaten, waarvan de werking niet per se op jou afgestemd hoeft te zijn, bestaat het gevaar daarentegen voortdurend.

De reiki-energie bewerkstelligt een almaar betere doorbloeding en evenwichtige functie van de huid, zodat zelfs vele schoonheidsfoutjes 'gladgestreken' worden. Bovendien maakt de ingrijpende activering van de stofwisseling en de ontgiftingsfuncties de bindweefsels en spieren steviger. Deze processen hebben uiteraard tijd nodig. Wanneer je deze tijd ervoor overhebt, zul je zeer tevreden zijn met de successen van je werk met reiki.

De algehele reiki-behandeling biedt in hoge mate garanties tegen al te heftige geneesreacties. Worden er in een bepaalde streek van het lichaam blokkades opgeheven en energieën vrijgemaakt, dan zorgt de verdere reiki-behandeling ervoor dat die energieën harmonieus verspreid worden, zodat ze geen schade kunnen aanrichten. Desondanks kunnen zich bij gericht reiki-werk toch dramatische geneesreacties voordoen. Gerichte reiki-behandelingen zouden daarom aan ervaren therapeuten met de juiste kwalificaties overgelaten behoren te worden.

Samenvatting:
De voordelen van de algehele reiki-behandeling

• *Herstel van reactievermogen*

• *Ingrijpende ontslakking*

• *Extra levensenergie*

• *Zonder risico, immers algehele behandelingsvorm*

• *Geen eenzijdige vrijmaking van opgehoopte energie*

Hoofdstuk 5

DE POSITIES VAN DE ALGEHELE REIKI-BEHANDELING EN HUN EFFECTEN OP ORGANISCH EN FIJNSTOFFELIJK GEBIED

In dit hoofdstuk presenteer ik een mogelijke volgorde van posities, die bij elkaar een algehele behandeling opleveren. Ik heb deze opeenvolging voor het grootste deel van mijn reiki-meester Brigitte Müller overgenomen. Wel heb ik de van haar geleerde positiesvolgorde uitgebreid met enige veranderingen en toevoegingen, die op mijn ervaring en de mededelingen van andere reiki-vrienden gebaseerd zijn. Deze volgorde heeft in de praktijk uitstekend voldaan. Desalniettemin vormt ze niet de enige mogelijke. Andere reiki-meesters gaan bij de algehele behandeling dikwijls anders te werk, wat even effectief en in bepaalde gevallen zelfs gepaster kan zijn. Het gaat er mij daarom niet om de enige juiste algehele behandeling te demonstreren (ik geloof dat er ook niet zoiets is, want ieder mens is anders). Veeleer wil ik je graag een goed afgestemd arbeidsproces laten zien, dat een richtsnoer voor eigen ontwikkelingen biedt.

Naar mijn bevinding is het belangrijk te begrijpen waarom een bepaalde volgorde van posities over het geheel genomen zinnig is en waarin die zin dan zit. Hoe meer ervaring je zelf met reiki opdoet, des te onbelangrijker de vaststaande positiesvolgorde en het nadenken over de zin en het doel ervan voor je wordt. Zulke overwegingen houden je niet meer bezig, omdat je intuïtie zich in toenemende mate ontwikkelt en het nadenken erover hoe langer hoe overbodiger maakt. Wanneer je veel met reiki werkt, zal deze ontwikkeling zich uit zichzelf voltrekken. Voordat het zover is zal er echter enige tijd overheen gaan, en de meesten van ons hebben het simpelweg nodig, zich in het begin en ook later nog intellectueel bezig te houden met vaste vormen en de erin bevatte logica. Je zult aan je successen merken of en wanneer je de in dit boek gepresenteerde structuren niet meer voor je reiki-werk nodig hebt en je op je intuïtie kunt verlaten. In dat opzicht maakt mijn systeem zich op den duur zelf overbodig, naargelang je er meer mee werkt. En dat is uitstekend zo. In hoofdstuk 1 heb ik geprobeerd uit een te zetten waarom.

Maar laten we bij het begin beginnen. Ik zal je nu het complete verloop van een reiki-sessie schetsen, met alles erop en eraan, zodat je de vele afzonderlijke gegevens in hun samenhang kunt zien.

Voor de algehele reiki-behandeling

Vragen aan jezelf

Allereerst moet je je afvragen of je de mensen die jou om hulp vragen, nu eigenlijk wel zou moeten behandelen. Sta stil bij de daaraan verbonden verantwoordelijkheid en vraag je af of je bevoegd bent die op je te nemen. Wanneer je bij voorbeeld zelf arts noch geneeskundige bent, dien je de verantwoordelijkheid terstond in bevoegde handen te leggen, zodra er ook maar het geringste vermoeden bestaat dat de hulpzoekende lichamelijk of psychisch ernstig ziek is. Geef je parallel aan een doktersbehandeling of psychotherapie reiki, dan moet je je er meteen van op de hoogte stellen of en hoe de hulpzoekende met medicijnen wordt behandeld; vraag het bij twijfel aan de behandelend arts of psychotherapeut. Gaat dat niet, trek je dan van de zaak terug of beperk het reiki-werk dusdanig dat er niets kan gebeuren. In de hoofdstukken 2 en 6 vind je verdere aanwijzingen betreffende dit probleem.

Is deze vraag beantwoord, dan moet je je afvragen of je de betrokkene op dit moment kunt behandelen. Heb je genoeg tijd voor hem? Wil je je tijd echt aan hem besteden? Hoe zit het met de tegenprestatie? Ben je innerlijk en uiterlijk sterk genoeg voor de confrontatie met de ontwikkeling van een ander mens? Wees je er bewust van dat er ook ontwikkelingsprocessen in jou ingeluid of versneld worden, wanneer je je vaak en intensief als reiki-kanaal ter beschikking stelt. Wil je dat nu hebben? Heb je op dit moment de kracht ervoor?

Maar ook met deze overwegingen is het vragen stellen aan jezelf nog niet afgelopen. Je moet je er een voorstelling van maken hoe de behandeling precies moet gaan verlopen. Zwaartepunten en probleemzones en het eigenlijke resultaat van de sessies met de in dit en hoofdstuk 7 beschreven methoden, kunnen dan na overleg met een arts of therapeut vastgelegd worden. Natuurlijk kun je binnen het kader waarvoor je er bevoegd voor bent, ook zelf een diagnose stellen en de reiki-behandeling daarop baseren.

Vragen betreffende de algehele behandeling

Nadat je je eigen positie opgehelderd hebt, werpen de nu ophanden zijnde reiki-sessies verdere vragen op, die je eveneens moet beantwoorden. In de eerste plaats moet je bekijken of je de algehele reiki-behandeling misschien dient te beperken. Bij zeer verzwakte mensen en kleine kinderen kan de behandeling bij voorbeeld in het begin tot ongeveer 20 minuten ingekort worden. Ook mensen die bepaalde allopathische (chemische) medicijnen innemen, zou je korter en met minder posities moeten behandelen (zie hoofdstuk 12). Wanneer de hulpzoekende naar energieophopingen neigt, die zich in de vorm van bij voorbeeld hoofdpijn of bij een vrouw als buitenproportioneel sterke klachten gedurende of voor de menstruatie uiten, behoren bepaalde posities weggelaten te worden en mogen de geplaagde lichaamsgebieden slechts indirect behandeld worden. In andere gevallen moet je bij de algehele behandeling specifieke zwaartepunten aanbrengen en vooral behoeftige plekken doelgericht met reiki bewerken. Onder bepaalde omstandigheden is een gedeeltelijke behandeling (b.v. het balanceren van chakra's of een verkorte behandeling) op haar plaats, die evenwel hetzelfde als een algehele behandeling uithaalt. Nu en dan zul je een gerichte reiki-behandeling moeten overwegen, bij voorbeeld: als maatregel in noodgevallen ('eerste hulp') en bij het wegnemen van duidelijk bepaalde blokkades zoals littekenstoringen, plaatselijke, begrensde ontstekingen of chronisch gespannen lichaamsdelen. De gerichte reiki-behandeling moet wellicht vergezeld gaan van aanvullende maatregelen, zoals het gebruik van edelstenen, geuren, geluiden, gesprekken, lichaamswerk, dieet of andere therapeutische interventies.

Evenals bij de vragen aan jezelf moet je ook bij deze overwegingen nochtans steeds eerlijk nagaan of je bevoegd bent voor deze beslissingen en maatregelen.

Een slechts schijnbaar bijkomende overweging

Wil je misschien voor en na de reiki-sessie met je cliënt praten en thee drinken? Of ben je van plan tijdens de sessie met hem te praten? Wat het geschiktst is verschilt van geval tot geval. Ook zwijgen kan op een bepaalde dag nuttig zijn. Je zult merken wat juist is, want je weet dat de 'atmosfeer' voor de reiki-behandeling zeer belangrijk is.

De rituelen voor de reiki-sessie

Let erop dat je cliënt ringen, kettingen, armbanden, kwartshorloges, ja alle sieraden af- en strak zittende kledingstukken uitdoet en zijn armen en benen gedurende de behandeling niet kruist. En ook jij als de behandelaar dient alle sieraden af te doen. Dan was je je handen, bidt om de kracht en strijkt de aura glad. Wil je meer over de reiki-rituelen of hun zin weten, lees dan nog eens hoofdstuk 3 door, waar het allemaal uitvoerig uiteengezet is.

De rituelen na de reiki-sessie

Na beëindiging van de algehele behandeling strijk je wederom de aura glad en geeft je energieveeg. Dan bedank je ervoor dat je de reiki-kracht door hebt mogen geven, wast je handen en geeft je cliënt misschien nog enige adviezen mee voor onderweg: hij moet veel water drinken en douchen, alcohol vermijden, veel rusten enzovoorts.

De reiki-posities

De handposities bij de algehele behandeling hebben stuk voor stuk een bepaalde betekenis. Het is onbelangrijk ze precies na te bootsen. Wanneer je handen ergens op de aangegeven lichaamsdelen rusten, is dat meer dan voldoende. Daarnaast maakt het niet uit of een positie door je linker- dan wel je rechterhand wordt ingenomen, want reiki is een niet-polaire energie. Kleding, gips of een deken vormen geen hindernis voor de reiki-kracht. Desalniettemin hebben veel mensen liever direct lichaamscontact, en dan is het zinnig overbodige 'hindernissen' weg te laten. Bij open en brandwonden, steenpuisten en dergelijke mag je je handen niet opleggen, maar dien je ze in plaats daarvan ongeveer 10 cm boven het lichaamsgebied in kwestie te houden. Worden kramppijnen gedurende de directe reiki-behandeling sterker, dan schakel je over op het behandelen van de corresponderende reflexzones/acupunctuurpunten. De vuistregel daarvoor: hoe verder de behandelde reflexzone van de te beïnvloeden plek af ligt, des te beter en zachter werkt reiki.

Lees de hierondervolgende beschrijvingen goed en pas het toe: bij iedere positie zijn de organen van het lichaamsgebied aangegeven die erdoor bedekt worden; daarna zijn enkele belangrijke toepassingsterreinen aangegeven en, indien nodig, van aanvullende informatie voorzien. Achter in het boek vind je een alfabetische opsomming van de symptomen en leer je welke posities volgens de ervaring het geschiktst zijn voor de behandeling ervan.

Posities op het hoofd

Positie 1

Je legt je handen parallel aan elkaar links en rechts langs de neus, van het voorhoofd tot aan de tanden.

Ogen; voorhoofds- en neusbijholten; tanden; hypofyse (regeling van de endocriene klieren, dient bij alle klierstoornissen altijd meebehandeld te worden; het beste voor het reiki-werk aan de klier in kwestie); pijnappelklier. 6e chakra ('derde oog'), reflexzones voor alle belangrijke organen (het lichaam wordt in het gelaat volkomen weerspiegeld).

Uitputting/stress; verkoudheid; aandoeningen van neusbij- en voorhoofdsholten; oogaandoeningen; labiliteit/verslavingsproblemen; allergieën; ontevredenheid. Basispositie voor chronische ziekten van allerlei aard.

Afb. 8: Positie 1

Positie 2

De handen liggen op de slapen, waarbij de vingertoppen tot aan de jukbeenderen reiken.

Oogspieren en -zenuwen; hersenhelften.

Evenwicht van beide hersenhelften (emotie en ratio); nuttig bij stress/leerproblemen/concentratiestoornissen en altijd wanneer iemand te eenzijdig door óf zijn gevoel óf zijn verstand beheerst wordt. Verkoudheid, hoofdpijn.

Afb. 9: Positie 2

Positie 3
De handen liggen op de oren.

Oren; evenwichtsorganen; keelholte.

Basispositie voor ziekten van uiteenlopende aard, aangezien op de oorschelp duizenden acupunctuurpunten liggen, die alle lichaamsgebieden beïnvloeden. Aandoeningen van het buiten- en binnenoor; verstoringen van het evenwichtsgevoel. Aandoeningen van de neus-/keelholte. Verkoudheid; verminderd gehoor; verwarring.

Afb. 10 : Positie 3

Positie 4

De handen houden het achterhoofd vast, de vingertoppen liggen op de medulla oblongata (d.i. weke plek, die je kunt voelen, wanneer je langs de middellijn van het hoofd je vingers naar de nek laat glijden; ongeveer op de helft eindigt het harde been en gaat in een weke verdieping over. Hier ligt de medulla).

Reflexzones voor de hoofdchakra's 1 tot en met 4; hersenen; medulla oblongata (verlengde merg); dikkedarm-, drievoudige-verwarmer-, galblaas-, blaas-, gouverneursmeridiaan (gouverneursvat).

Ontspanning; hoofdpijn; oogaandoeningen; verkoudheid; onderlichaamkwalen; angst; blokkeringen in de 6e chakra; astma, hyperventilatie; bloedsomloopklachten; niezen; braakneigingen; chronisch 'verslikken'.

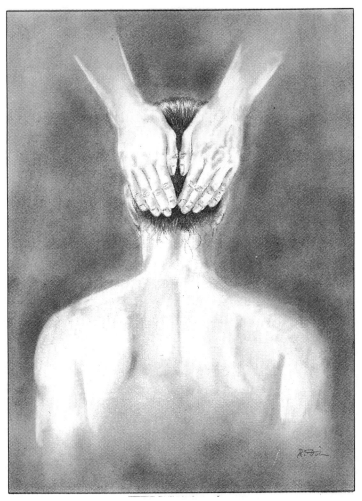

Afb. 11: Positie 4

Positie 5

De handen bedekken de keel. De hals wordt niet aangeraakt, omdat dat bij velen angst kan wekken.

Schildklier; bijschildklieren; strottehoofd; stembanden; lymfklieren; 5e chakra.

Stofwisselingsziekten; gewichtsproblemen; anorexia; stotteren; angst; hartkloppingen en -trillingen; verkeerde lichaamshoudingen; chronische kramp van de been-, bekken-, romp - en schouderspieren. Bloeddruk; onderdrukte of te sterk botgevierde agressie. Gedrags- en communicatiestoornissen. Keelpijn; amandelontsteking; heesheid; onzekerheid.

Afb. 12: Positie 5

Posities op het bovenlichaam

Positie 6

De ene hand leg je op de onderste rib aan de rechterkant, de andere er pal onder.

Lever en galblaas.

Leven- en galblaasaandoeningen; verteringsklachten; aambeien; te sterke en onderdrukte agressie; hoge bloeddruk; stofwisselingsstoornissen; ontgifting.

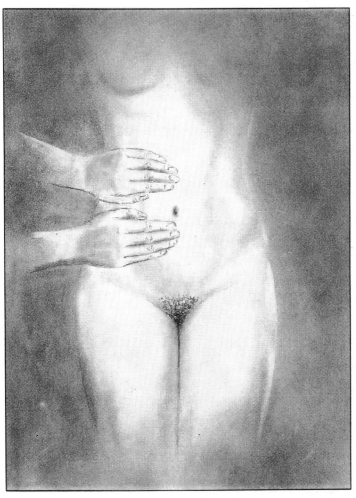

Afb. 13: Positie 6

Positie 7

Het precieze spiegelbeeld van positie 6. Je ene hand ligt dus op de onderste linkerrib en de andere er vlak onder.

Delen van alvleesklier; milt; darm.

Diabetes (zie ook de bijzondere positie voor de ellebogen); alvleesklier- en miltaandoeningen; vatbaarheid voor infecties (gemakkelijk ontstekingen); bloedvorming (rode bloedlichaampjes); verteringsstoornissen.

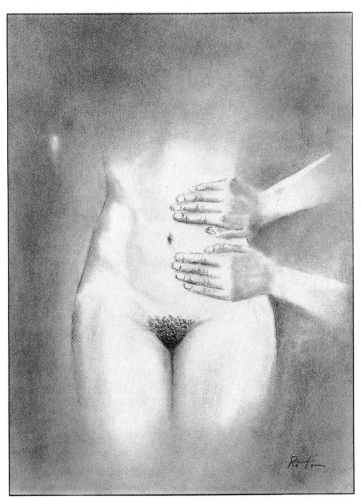

Afb. 14: Positie 7

Positie 8

De ene hand ligt boven, de andere onder de navel.

Zonnevlecht; maag; 3e chakra; verteringsorganen; hara.

Angst; innerlijke harmonie; maag- en darmklachten; misselijkheid; maagzuur; gevoel van volheid; verlicht de vertering; aambeien; vergroting van vitaliteit; trots en minderwaardigheidsgevoelens; stofwisselingsproblemen; depressies.

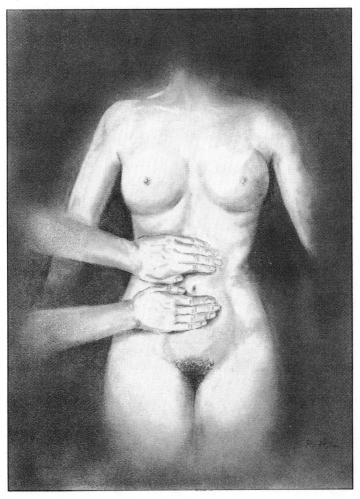

Afb. 15: Positie 8

Positie 9

Een hand ligt dwars over de thymus, de andere in een loodrechte hoek daarop tussen de borsten (beide handen vormen samen dus een T).

Thymus; hart; longen; 4e chakra.

Versterking van de weerstand; hartklachten; lymfsysteem; doofheid; te sterke gevoelens of gevoelloosheid; longaandoeningen; algehele zwakte; depressies.

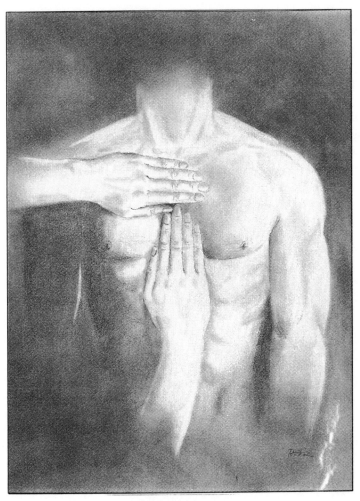

Afb. 16: Positie 9

Positie 10

De handballen liggen beide op de verdikkingen van de heupen, de vingers dicht tegen elkaar op het schaambeen, zodat de handen samen een V vormen.

Urogenitale organen; darmen; blindedarm; 1e en 2e chakra.

Aandoeningen van het urogenitale systeem; borsttumoren; overgangsklachten; verteringsstoornissen; angst voor intimiteit; allergieën (hoofdpositie); algehele zwakte; herstel; seksuele problemen; gewichtsproblemen; anorexia; bloedsomloop; versterking van het immuunsysteem; ontbrekende levenswil en gebrek aan levensvreugde.

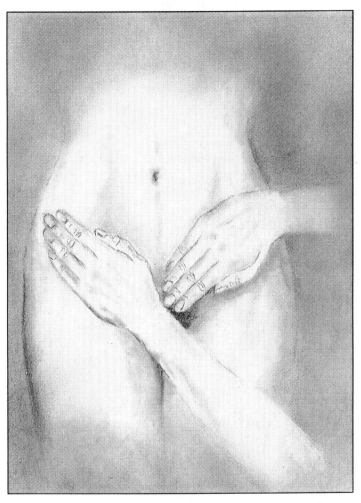

Afb. 17: Positie 10

Posities op de rug

De handen liggen tussen de schouders en schouderbladen.

Secundaire chakra's (verantwoordelijkheid); nek- en schouderspieren; drievoudige-verwarmer-, dunne darm-, dikke darm-, blaas- en galblaasmeridiaan.

Hoofdpijn; gespannen schouders en nek; stress; problemen met verantwoordelijkheid (voelt zich voor alles en iedereen verantwoordelijk/is altijd geraakt/wil nooit verantwoordelijkheid op zich nemen).

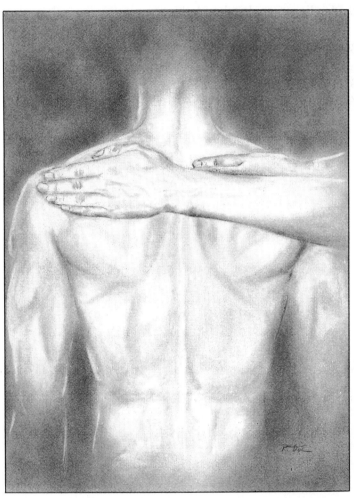

Afb. 18: Positie 11

Positie 12
De handen liggen op de schouderbladen.

Longen; hart; dunnedarm- en blaasmeridiaan.

Long- en hartziekten; moeite met het toelaten van gevoelens/volledig aan zijn gevoelens overgeleverd zijn; manisch of depressief.

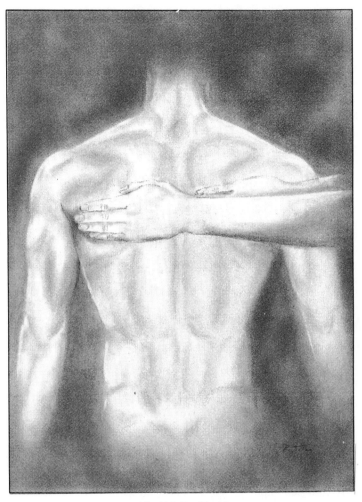

Afb. 19: Positie 12

Positie 13

De handen rusten op de onderste ribben naast de nieren.

Bijnieren en nieren.

Stress; relatie- en betrekkingsproblemen van allerlei aard; nieraandoeningen; allergieën; shocks (deze positie is heel belangrijk om na een shock nierdisfuncties te voorkomen!); ontgifting; ontladende therapieën; seksuele problemen; angst voor intimiteit; hoogtevrees en faalangst; moeite met het toelaten van gevoelens.

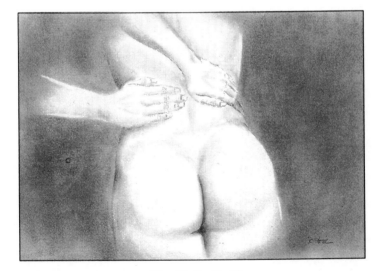

Afb. 20: Positie 13

Positie 14

De ene hand ligt dwars op de heiligbeenknobbel (beenknobbel boven de bilnaad), de andere er loodrecht onder (met wat meer druk).

1e chakra; darm; urogenitale systeem; ischias.

Versterking; aambeien (alleen symptomatische werking!); verterings-klachten; fistels en darminfecties; ischiasklachten; aandoeningen van het urogenitale systeem.

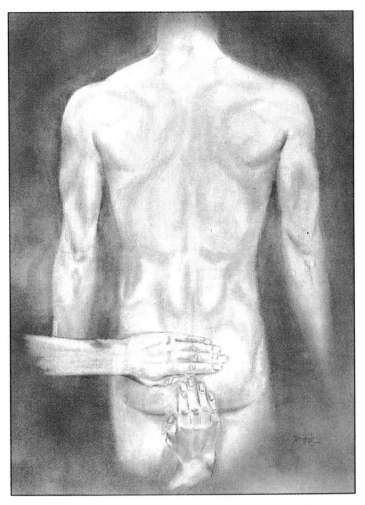

Afb. 21: Positie 14

Positie 15

De handen bedekken de knieholten.

Secundaire chakra's (flexibele aanpassing bij levenssituaties; leervermogen; kritiek); kniegewricht; meniscus; knieschijf; slijmbeurs.

Gewrichtsbeschadigingen; sportblessures; blokkades die de energiestroom van voeten naar wortelchakra verstoren.

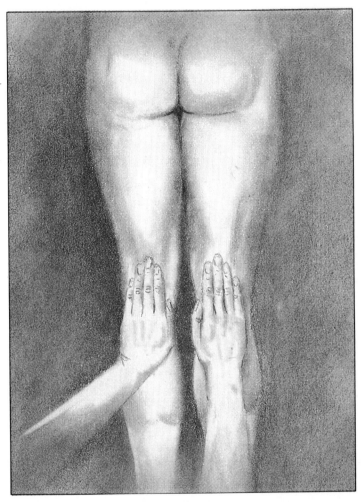

Afb. 22: Positie 15

Positie 16

De handen houden de enkels vast.

Gewricht; reflexzones voor de bekkenorganen.

Gewrichtsbeschadigingen; blokkades die de energiestroom naar de wortelchakra belemmeren; aandoeningen in de totale bekkenregio.

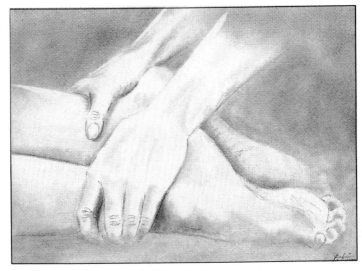

Afb. 23: Positie 16

Positie 17

De handen liggen tegen de voetzolen, de beide grote tenen moeten vanaf de top bedekt zijn.

Reflexzones voor alle organen; maag-, lever-, nier- en galblaasmeridiaan.

Aarding van alle chakra's en lichaamsgebieden; hoofdpijn. Versterking van de wortelchakra en de aura. Bijzonder belangrijk voor gevoelige mensen met 'te dunne huid'. Aanbevelenswaardig na coma, narcose, shocks van allerlei aard. Via de voetzolen, de wreven en de enkels kan een effectieve algehele behandeling gegeven worden.

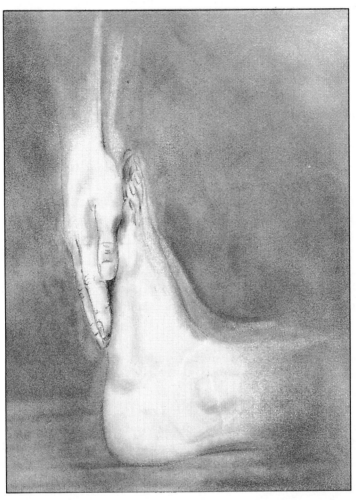

Afb. 24: Positie 17

Bijzondere posities

Diabetes: de handen op de ellebogen leggen; regelmatig en telkens minstens 10 minuten behandelen.

Heupgewrichtsproblemen: de handen rechts en links aan de zijkant van de heupen leggen. Regelmatig en gedurende langere tijd behandelen; indien mogelijk dienen alle behandelingen minstens 10 minuten te duren.

Multiple sclerose: beide handen op de kruin opleggen. Regelmatig en bij aanvallen behandelen (niet korter dan 10 minuten per sessie).

Ischias: een hand bedekt het heiligbeen, de andere ligt op een van de voetzolen. Liefst telkens en regelmatig beide benen behandelen (minstens 10 minuten per sessie).

Hartinfarct (ook nazorg over langere periode!): de reiki-kracht uitsluitend boven en onder het hart laten binnenstromen; de handen nooit en te nimmer direct op het hart opleggen! (Bij een hartaanval direct een arts roepen!)

Opmerking: reiki mag eerste hulp alleen aanvullen. Reiki kan die maatregelen nooit vervangen. Deze beperking geldt overeenkomstig voor alle ziekten.

De genezende werking van reiki kan bij benadering als volgt 'berekend' worden: behandelingstijd x aantal keren x reiki-capaciteit van het behandelende reiki-kanaal x onbewuste groeibereidheid van de recipiënt x goddelijke wil. Ofte wel: zonder God gebeurt er helemaal niets!

Overigens heeft hij/zij/het maar uiterst zelden iets tegen genezing. De meeste hindernissen werpen wij mensen zelf op.

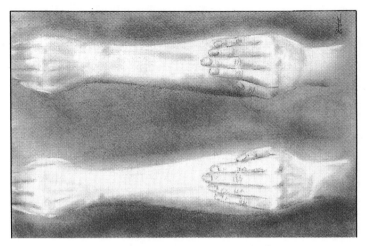

Afb. 25: Bijzondere positie 'diabetes'

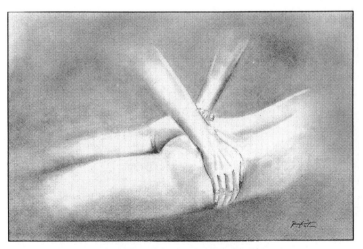

Afb. 26: Bijzondere positie 'heupgewricht'

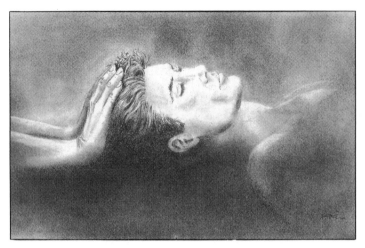

Afb. 27: Bijzondere positie 'multiple sclerose'

Afb. 28: Bijzondere positie 'ischias'

Hoofdstuk 6

GERICHTE REIKI-TOEPASSINGEN

In dit hoofdstuk geef ik in de eerste plaats fundamentele informatie betreffende gerichte reiki-toepassingen. De voor speciale doeleinden geschikte posities kun je in de samenvatting aan het einde van het vorige hoofdstuk terugvinden. Voordat je reiki gericht in het kader van een algehele behandeling of zonder speciale posities gaat gebruiken, zou je je rekenschap moeten geven van de volgende vragen:

'Waarom geloof ik dat in dit geval gerichte reiki-toepassing binnen een algehele behandeling zinnig is?'

Het gericht toepassen van de reiki-kracht kan bij nauwkeurig bepaalde blokkades en acute verschijnselen heel nuttig zijn. Als vuistregel geldt: blokkades die het opnemen van reiki bemoeilijken, dienen voor het eigenlijke reiki-werk weggenomen te worden. Deze blokkades zijn chronisch en voelen meestal koud aan; er kan niets doorheen stromen. Hier zitten oude trauma's, niet verwerkte schokken en dergelijke vast. Andere blokkades daarentegen, namelijk die waarin veel 'kokende, hysterische' energie vastzit, mag je pas na de algehele behandeling wegnemen. De laatste blokkades zijn acute of subacute energieverstoppingen, die zich betrekkelijk gemakkelijk ontladen, maar de tendens hebben om na ontlading weer energie in zich op te hopen, omdat een nog dieperliggende blokkade gewoon door blijft bestaan. In twijfelgevallen kun je, voordat je de blokkades rechtstreeks aanpakt, beter enkele algehele behandelingen geven en ervan afzien meteen vanaf het begin zwaartepunten aan te brengen.

Bij het losmaken van zulke verstoppingen kunnen huilbuien, lachen, woede, droefenis of andere gevoelens bij de cliënt omhoogkomen. Wees erop bedacht. Let erop dat de cliënt de sessie niet met een weliswaar losgemaakte, maar verder niet geuite blokkade verlaat. Gebeurt dat wel, dan kan hij bij het minste geringste door opwellende gevoelens overweldigd worden, terwijl hij er dan mogelijk alleen voor staat. Het is vaak heel moeilijk te bepalen hoe snel een blokkade zich oplost en hoeveel energie daarbij vrijkomt. Zeer belangrijk is dat de vrijkomende energie geïntegreerd kan worden, wat blijkt uit het feit dat de cliënt zijn gevoelens accepteert. Problemen ontstaan wanneer iemand tot dan verdrongen delen waarneemt, maar de confrontatie niet aankan. Het integrerende werk kan reiki meestal niet alleen voor elkaar krijgen, aangezien het simpelweg veel tijd vraagt. De methoden van de verschillende psychotherapieën bieden hier een zinnige en in onze tijd noodzakelijke aanvulling. Ook het werken met rozekwartsen kan in dit geval baat hebben.

Op organisch niveau kan het nuttig zijn probleemhaarden gericht te bewerken, om zo verzwakte organen en vaten van levensenergie te voorzien. Zo zijn er speciale posities voor diabetes, multiple sclerose, hartinfarcten enzovoorts. Nadere gegevens daarover vind je in hoofdstuk 5.

'Waarom geloof ik dat in dit geval gerichte reiki-toepassing zonder aanvullende andere behandelingsvormen zinnig is?'

Deze vraag kan vooral in noodgevallen positief beantwoord worden. Reiki kan in noodgevallen heel nuttig zijn. De toepassing ervan kan zelfs van doorslaggevende betekenis zijn en de tijd overbruggen tot er medische hulp arriveert, bij voorbeeld door de behandeling van de nieren bij een shock, het stelpen van bloedingen, kalmeren enzovoort.

Maar reiki is eveneens nuttig bij kleinere kwetsuren, zoals lichte brandwonden, sneeën, insektesteken, blaren etcetera. Lichte gezondheidsverstoringen, zoals kramp bij sport, drukking op de maag, misselijkheid, hoofd- en keelpijn, kunnen zonder 'chemische wapenstok' eerst met reiki behandeld worden.

'Met welke maatregelen moet ik mijn gerichte reiki-werk aanvullen?'

Voor een reiki-sessie kunnen dat 'vertrouwenwekkende' maatregelen zijn, zoals geuren, geluiden en gesprekken. Andere beproefde hulpmiddelen zijn specifieke maatregelen voor het vergroten van de opnamecapaciteit, zoals het wegnemen van energieblokkades met technieken van mentale genezing, edelsteenwerk, massage (met etherische oliën), het werken met mantra's of klinkers en bevestigingen (in de trant van: 'Ik ben bereid liefde te ontvangen' of 'Ik accepteer mezelf zoals ik ben.') Na de reiki-sessie kan een gesprek belangrijk zijn, of misschien bestaat de noodzaak om de vrijkomende gevoelens te analyseren. Ook de keuze van een voor de ingezette ontwikkeling gepaste steen (zie hoofdstuk 9) of geur (zie hoofdstuk 11) blijkt vaak een nuttig hulpmiddel. Zie je in dat je cliënt na jouw verzorging extra hulp nodig heeft, die je hem niet kunt geven of op grond van de wettelijke bepalingen niet mag geven, verwijs hem dan, indien mogelijk, door naar een geschikte therapeut, die hem verder kan helpen.

'Kan ik de verantwoordelijkheid aan? Mag ik ze wettelijk op me nemen?'

Weet je op de eerste vraag geen helder antwoord te geven, vraag het dan simpel aan een orakel of praat met je cliënt over je onzekerheid. Dat zal je zekerheid geven en hem in zijn vertrouwen sterken. Dikwijls volstaat een verhelderend gesprek om dit probleem uit de weg te ruimen. Heb je echter echt het gevoel dat je het niet aankunt, dan dien je de verantwoordelijkheid aan een andere therapeut over te dragen, die met dit geval dan waarschijnlijk beter uit de voeten kan.

Ben je zelf geneeskundige of arts, dan weet je uiteraard wat je mag doen en wat niet. Oefen je een beroep uit dat in ruimere zin genezingswerkzaamheden toelaat (bijvoorbeeld gediplomeerd masseur of badmeester), dan zijn de juridische grenzen aan je therapeutische bezigheden weliswaar nauwer, maar in ieder geval zijn ze tamelijk duidelijk gesteld. Als privé-persoon (en daar reken ik jou ook toe, wanneer je wel een serieuze therapeutische vorming hebt gehad, maar geen wettelijk erkende bevoegdheid bezit) is je alle therapeutische werk verboden, vooral wanneer je het als beroep uitoefent. Dit duidelijke verbod geldt evenzeer voor het medische als voor het psychotherapeutische terrein. Ben je desondanks toch in de weer in deze sector, dan ben je strafbaar.

Natuurlijk zal niemand er iets op tegen hebben, wanneer je je partner bij kleine gezondheidsproblemen helpt of je kinderen van de reiki-kracht voorziet. En het is evenmin een strafbare handeling vrienden en familie daarmee te ondersteunen. Zodra je er echter geld voor aanneemt wordt het moeilijk. Je moet je dan ook precies over de juri-

Afb. 29: Ontspanningsoefening met reiki

dische stand van zaken betreffende het uitoefenen van geneeskunde informeren.

Het gericht toepassen van de reiki-kracht door leken behoort in de eerste plaats het voorkomen en behandelen van kleine, alledaagse klachten te dienen. Dat is aanzienlijk beter en natuurlijker dan voortdurend medicijnen te slikken. Ernstige problemen horen echter in handen gegeven te worden van een daartoe bevoegde en gediplomeerde therapeut. Voor hen kan de hier gepresenteerde kennis een hulp en stimulans voor het eigen werk met reiki zijn. Vanzelfsprekend kun je je ook voor privé-gebruik over alle mogelijkheden van reiki-toepassing informeren. Misschien komt die kennis je ooit in geval van nood nog eens uitstekend van pas.

Samenvatting:
Gerichte reiki-toepassingen

Gericht werken met reiki is zinnig:
in noodgevallen; bij de behandeling van minder serieuze aandoeningen en lichte gezondheidsproblemen; voor het gericht wegnemen van energieblokkades; voor het versterken van bepaalde organen of vaten.

Het is noodzakelijk:
dat je aanvullende maatregelen in overweging neemt, alsmede er voor de sessie voor zorgt dat de reiki-kracht opgenomen kan worden en na de sessie dat de uit de blokkade(s) vrijkomende energie harmonieus geïntegreerd wordt.

Verder is het noodzakelijk:
dat je rekening met je bevoegdheid houdt en op de hoogte van het wettelijk kader bent, en bovendien voor het begin van de behandeling vaststelt of je de verantwoordelijkheid ervoor op je kunt en mag nemen.

Hoofdstuk 7

VERSCHILLENDE METHODEN VOOR HET OPSPOREN VAN STOORNISSEN IN HET FIJNSTOFFELIJKE SYSTEEM

Vaak is het belangrijk vóór een reiki-sessie zwaartepunten in de behandeling en probleemgebieden op het fijnstoffelijk vlak zo precies mogelijk af te bakenen. Voor dat doel zijn er vele effectieve methoden. Enkele daarvan zal ik in dit hoofdstuk uiteenzetten.

Wanneer je veel met reiki werkt, word je steeds gevoeliger; vooral je handen zullen met de tijd merkbaar aan fijngevoeligheid winnen. Daardoor verkrijg je toegang tot indrukken op energetisch niveau. Een kleine oefening kan je helpen je handen nog sneller gevoelig te maken. Je houdt ze op een afstand van ongeveer 50 cm van elkaar voor je, de palmen naar elkaar gekeerd. Nu neem je 5 minuten de tijd om je handen heel langzaam en geleidelijk naar elkaar te brengen. Let op het gevoel in je handpalmen en de veranderingen die zich gedurende dit proces voltrekken. Wanneer je deze eenvoudige oefening enkele weken dagelijks uitvoert, zal je waarnemingsvermogen snel groter worden.

Maar ja, wat doe je vervolgens met je waarnemingen? Hoe kunnen ze geïnterpreteerd worden?

Daarvoor bestaat helaas geen kant-en-klaar model. Veel zul je eerst zelf moeten ervaren om het juist te kunnen ordenen en waarderen. Wel is het zo dat bepaalde symptomen bij veel mensen gelijksoortige sensaties losmaken. Die kunnen dan ook een sleutel tot de juiste taxatie zijn. Je dient wel na te gaan of die sleutel ook voor jou bruikbaar is. Je moet er daarom op letten of en op welke manier jouw sensaties van het systeem afwijken, want ten slotte komt het op jouw eigen sensaties aan. Ze verlenen je je individuele toegang tot de informatie op het fijnstoffelijk niveau van je cliënten. Maar nu eerst het systeem. Om wat voor sensaties gaat het en wat kunnen ze misschien te betekenen hebben?

Kriebelen: Deze sensatie wijst op een ontsteking. Of ze chronisch, subacuut of acuut is, kun je alleen op grond van je gevoel te weten komen. In ieder geval kan de intensiteit van het kriebelen je een houvast geven. Zeer sterk gekriebel, vaak zelfs tot aan de schouders, wijst op een acute, ernstige ontsteking. Wanneer je arts of geneeskundige bent, moet je een bloedonderzoek laten doen, die je uitsluitsel zal geven. Heb je niet die bevoegdheid, dan dien je de verantwoordelijkheid voor je cliënt zo snel mogelijk aan een geneeskundige of arts over te dragen. Reiki werkt juist acute ontstekingen effectief tegen. Het loont dan ook de moeite de reiki-kracht in voorkomende gevallen begeleidend of (alleen bij lichte ontstekingen) op zichzelf toe te passen.

Koude: Misschien een oude blokkade, die de levendigheid van het organisme schaadt, doordat ze zich van de stroom van zijn processen afgescheiden heeft. Vooropgesteld natuurlijk dat de cliënt zich echt aan een bewustwordingsproces wil zetten, is in dit geval veel voorbereidend werk en hoogstwaarschijnlijk flink wat reiki nodig, voordat de blokkade zal verdwijnen. Je moet in ieder geval zorgvuldig te werk gaan, op de angsten letten die nu eventueel het bewustzijn binnendringen en hoe dan ook het hele lichaam in de reiki-sessies 'meenemen'. In dergelijke blokkades gaan vaak grote groeimogelijkheden schuil. Voor het aanboren daarvan moet evenwel meestentijds heel wat werk verzet worden.

Hitte: Bemerk je dat je handen gloeien, dan mag je dat opvatten als een signaal dat er levenskracht nodig is en bereidwillig opgenomen wordt. De sensatie kan variëren van warmte tot kokende hitte (maar niet onaangenaam!). Een uitgeput, maar levendig organisme neemt de kracht op die het nodig heeft. Wanneer de sensatie van hitte over heel het lichaam van de cliënt waar te nemen is, speelt het geen rol op welke plaats van zijn lichaam je de reiki-kracht laat stromen, want de levensenergie wordt zonder veel weerstand naar de behoeftige plekken geleid. Moeilijk te controleren reacties komen in dit geval zelden voor.

Plakken: Deze sensatie zal je waarschijnlijk duidelijk maken, dat op de plek in kwestie dringend reiki-energie nodig is en bereidwillig zal worden opgenomen. Houdt het 'plakkerige' gevoel op, wacht dan nog eventjes om te zien of je daarna een andere sensatie krijgt, of je niet misschien een andersoortige vibratie voelt. Zo niet, dan ga je verder met de volgende positie.

Afgestoten worden: Het gaat hier waarschijnlijk om een oude, diepgewortelde blokkade, die geen levendigheid en dus ook geen levensenergie wil toelaten. Ze staat echter altijd in de een of andere vorm met de levensprocessen van het lichaam in verbinding. Informeer of je cliënt aan een bewustwordingsproces wil beginnen. Zo ja, neem dan ondersteunende maatregelen, zoals bevestigingen, blokkades wegnemende geneestechnieken van de mentale methode van de 2e reiki-graad, of andere geschikte middelen die een opening kunnen voorbereiden. Houd daarbij rekening met de angsten van je cliënt en neem er altijd de tijd voor.

Stromen: Dit gevoel in je handen laat vermoeden dat de levensenergie reeds stroomt en zich over de extra levendige impulsen verheugt, die tot een vibratieverhoging van het totale organisme leiden. Iedere reiki-sessie wordt als een onderdompelen in liefde en geborgenheid ervaren. Een mooie gelegenheid om zachte groei te beleven.

Stekende pijn: Mogelijk een symptoom van een zich oplossende energieverstopping. De vrijkomende energie komt in het bewustzijn en wordt door de omringende energiesystemen geïntegreerd. De confrontatie met tot dan verdrongen delen is minstens inspannend en pijnlijk. In dit geval mag je de reiki-sessie niet te vroeg beëindigen, maar dien je beslist heel het lichaam te behandelen. Denk ook aan de eropvolgende noodzakelijke versterking en wees behulpzaam bij het integreren van de vrijgekomen energie.

Doffe pijn: Deze sensatie kan je op een oude verstopping wijzen, die zich weliswaar nog in een voorbewust stadium bevindt, maar, zoals uit de reactie blijkt, er klaar voor is weggenomen te worden. Waar je dit gevoel krijgt, laat je de reiki-kracht nog vaker naar toe stromen, totdat de verharde structuur zich compleet opgelost heeft. Een algehele behandeling is niet per se noodzakelijk, maar kan het verdwijnen van de blokkade versnellen. Let goed op hoe het verloopt. Wanneer de verstopping los begint te komen, is het tijd om de reiki-behandeling over heel het lichaam uit te breiden.

Trekkende pijn: Een energieverstopping die zo ver is dat ze opgelost kan worden, maar door omringende energiesystemen nog niet geïntegreerd wordt. Verdere regelmatige behandeling met reiki is noodzakelijk, waarbij beslist ook de rest van het lichaam betrokken moet zijn.

Daarnaast zijn er andere methoden om met de handen energietoestanden waar te nemen, bij voorbeeld de mogelijkheid om de activiteit van de chakra's vast te stellen (zie hoofdstuk 8). Daarvoor moet je cliënt rechtop staan of op een krukje zitten. Houd ter hoogte van een chakra de ene hand aan zijn voorzijde en de andere aan zijn rugzijde, met de palmen naar het lichaam gekeerd. Let op je handen: welke sensaties voel je in je handen? Maak van elke chakra, gescheiden naar voor- en rugzijde, aantekeningen en beoordeel ze naar de criteria die in dit en het volgende hoofdstuk uitvoerig beschreven staan. Dikwijls loont het ook bepaalde secundaire chakra's in het onderzoek te betrekken.

Vaak komt het voor dat de cliënt heel andere sensaties gewaarwordt dan jij. Laat je er niet door in de war brengen. Beoordeel op grond van je eigen sensaties, wanneer jij het reiki-kanaal in het proces bent. Ze zijn in dit opzicht maatgevend. Vermijd zoveel mogelijk je cliënt precies uit te leggen waar hij welke blokkades heeft en wat eronder verborgen gaat. Dat schept slechts verwarring en laat het denkapparaat in kringetjes draaien. Ben je ervaren in gesprekstherapie, dan kun je natuurlijk je kennis heel nuttig gebruiken voor je cliënt.

Een andere mogelijkheid om blokkades af te bakenen is de pendel. In de appendix vind je pendelbladen die corresponderen met de chakra's, de belangrijkste organen en diverse de reiki-sessie begeleidende maatregelen, die voor jou en je cliënt het gezamenlijk werken aan de genezing kunnen vergemakkelijken. Ben je ongeoefend in het gebruik van de pendel, dan zul je moeten leren pendelen en er ervaring mee opdoen, voordat je serieus met deze bladen aan de slag kunt gaan. De pendel is een nuttig, maar tegelijk ook gemakkelijk verkeerd te interpreteren instrument. Neem de adviezen in dit boek erover ter harte.

De bladen kunnen op verschillende manieren bevraagd worden, bij voorbeeld:

- *'Waar zit de wortel van de gezondheidsverstoring?' (Stel vast of er meer dan één wortel is, want ook dat is mogelijk!)*
- *'Naar welk orgaan, vat, lichaamsdeel, welke chakra zou juist op dit moment reiki-kracht toegevoerd moeten worden?' ('Dienen er nog meer zwaartepunten aangebracht te worden? Zo ja, waar?')*
- *'Naar welk orgaan, vat, lichaamsdeel, welke chakra mag op dit moment juist geen reiki-kracht toegevoerd worden?' (Ga na of er misschien meerdere gebieden uitgezonderd moeten worden!)*
- *'Welke voorbereidende maatregelen moeten getroffen worden?'*
- *'Wat moet er voor de nazorg gedaan worden?'*
- *'Het ik een fout bij het uitpendelen van de vragen gemaakt?'*

Terwijl je aan het beantwoorden van deze vragen werkt, mag je cliënt niet aanwezig zijn. Een foto, een voorbeeld van zijn handschrift of een goede persoonlijke indruk is voldoende. Na elke reiki-sessie kun je met deze vragen overigens eveneens testen of er een wezenlijke verandering is opgetreden, die dan uiteraard nieuwe maatregelen noodzakelijk maakt.

Je kunt ook direct het lichaam bependelen, ingeval je geen pendelbladen bij de hand hebt. Stel vooraf voor jezelf vast hoe je pendel jou 'ja', 'nee' en 'ik weet niet' aangeeft en bevraag dan een voor een de afzonderlijke gebieden.

Je kunt je bovendien bij een gerichte reiki-behandeling door de pendel naar de op dat moment het behoeftigste lichaamsplaats laten leiden. De cliënt moet daarbij voor je liggen. Je staat naast hem en stelt de vraag: 'Op welke plaats kan reiki nu het meest uitrichten?' Je laat je er door je pendel heen leiden. Hij zal de richting aangeven en boven de plaats stil blijven hangen of een 'bevestigende slingerbeweging' maken. Vraag de pendel van tevoren hoe hij zal antwoorden.

Je kunt echter ook 'mentaal', dus zonder contact en zonder pendelbladen werken. Daarvoor moet je iedere chakra en ieder orgaan en vat bevragen. Later laat je dan reiki binnenstromen op de plekken waarover de pendel 'ja' heeft gezegd.

Zoals bij alle andere hier gepresenteerde 'beoordelingssystemen' is heel het pendelen natuurlijk alleen belangrijk, wanneer je vermoedt dat er zich bij het reiki-werk met je cliënt moeilijkheden kunnen voordoen, of wanneer je met zo zeker mogelijk succes gericht de reikikracht wil geven. Al de methoden zijn in de praktijk beproefd en zijn zeer effectief gebleken. Bedenk echter wel dat je slechts een kanaal voor reiki bent en in laatste instantie God over de werkzaamheid ervan beschikt. Wat overigens ook weer geen flauw smoesje voor ontbrekende deskundigheid mag zijn.

Wezenlijk en uitvoerig uitsluitsel over de zin en het verloop van een langere reiki-behandeling kun je verkrijgen met behulp van een van de vele traditionele orakelsystemen. Tarot ('waarzegkaarten' op basis van de kabbalistiek), runen (een Oudgermaans symboolsysteem voor het weergeven van fundamentele universele energiepatronen) en de I Tjing (een meer dan 4000 jaar oud Chinees orakelsysteem met welhaast mathematische precisie) kunnen je in dit opzicht waardevolle hulp bieden. Je zult wel met het door jou gebruikte systeem vertrouwd moeten zijn, voordat je serieuze vragen aan het orakel stelt. Beoordelingsfouten kunnen, zo zul je begrijpen, soms verreikende gevolgen hebben...

Ik werk het liefst met de I Tjing en heb aan de hand van een klassieke vertaling een systeem voor de beoordeling van fijnstoffelijke toestanden ontwikkeld. Het houdt rekening met de chakra's, meridianen en organen. Ook psychisch-geestelijke transformatieprocessen kunnen met een systeem voor het gebruik van de I Tjing bewuster gemaakt worden. Helaas is het zeer omvangrijk en het past daarom niet in het kader van dit boek. Het is genoeg stof voor een ander boek, dat ik misschien nog wel eens schrijf. De praktische toepassing van het systeem onderricht ik tegenwoordig reeds in speciale seminaries.

Samenvatting:
Verschillende methoden voor het opsporen van stoornissen in het fijnstoffelijke systeem

Zwaartepunten en te vermijden plaatsen bij een reiki-behandeling kunnen gevonden worden met:

- pendelen (met pendelbladen, direct of mentaal)
- het gebruik van de I Tjing of andere orakelsystemen, waarmee je goed vertrouwd bent.

Blokkades kunnen beoordeeld worden met behulp van:

- sensaties in de handen
- vragen aan orakels
- kennis van bio-energetische samenhangen.

De achtergronden van een gezondheidsverstoring kun je vinden met:

- vragen aan orakels
- een therapeutisch gesprek (vooropgesteld dat je de daarvoor noodzakelijke gesprekstechnieken beheerst).

Overigens mag je de in dit hoofdstuk beschreven methoden niet aan een stuk door toepassen. Ze zijn in de eerste plaats voor netelige en moeilijk te doorgronden gevallen bedoeld. Krijg je daar vaak mee te maken, dan zal je intuïtie zich hoe langer hoe meer ontwikkelen en daardoor de technische 'kruk' stilaan overbodig maken. Vat je verantwoordelijkheid serieus op en beoordeel je oordeel steeds weer op zijn juistheid.

Hoofdstuk 8

REIKI EN CHAKRA'S

Chakra's zijn de fijnstoffelijke energiecentra van de mens. De term 'chakra' komt uit het Indisch, of preciezer: uit het Sanskriet, en betekent onder meer 'kring' of 'wiel'. De chakra's zijn in de traditionele Aziatische geneeskunde al duizenden jaren bekend en worden zowel voor de diagnose als voor de therapie van stoornissen op lichamelijk, psychisch en geestelijk vlak gebruikt. Hun taken zijn heel veelzijdig. Enerzijds representeren ze de fijnstoffelijke correspondentie van de met ze verbonden grofstoffelijke organen en groepen van organen. Anderzijds bepalen ze hoe ons bestaan zich op de verschillende zijnsniveaus ontwikkelt en reflecteren ze tevens onze momentele ontwikkelingsstand. Het systeem van chakra's valt uiteen in hoofd- of primaire en bij- of secundaire chakra's. Deze staan op hun beurt met de uit de acupunctuur bekende meridianen en reflexzones in verbinding. Bovendien zijn de chakra's in een hoger georganiseerd systeem ingebed. Naar mijn weten zijn er alleen in de Indische en Polynesische mystiek precieze beschrijvingen van deze niveaus voorhanden. Ik hecht er met het oog op reiki-werk aan de chakra's belang aan hun betekenis duidelijk te stellen, want bepaalde problemen kunnen niet alleen via de chakra in kwestie uit de weg geruimd worden. De chakra's vormen de verbinding tussen de hoge fijnstoffelijke niveaus en de lagere en materiële sferen. Ze zijn dus van grote betekenis. Wordt in de karmische sfeer bij voorbeeld een blokkade opgeheven, maar kunnen de desbetreffende chakra's niet ten volle functioneren, dan zal de vrijgekomen energie niet op het materiële niveau kunnen uitwerken. Bij fijnstoffelijke behandelingen komen dergelijke negatieve ontwikkelingen zelfs relatief vaak voor. Allemaal hebben we ten slotte wel eens de diepe verzuchting horen slaken: 'Nu heb ik toch al zoveel voor mijn spirituele ontwikkeling gedaan, maar nog steeds word ik geplaagd door dit lichamelijk lijden, dat maar niet weg wil gaan!' Daar staat tegenover dat het voor een genezing en verbetering van de levensomstandigheden niet altijd volstaat een chakra te 'repareren'. Gaan achter het probleem in laatste instantie onopgeloste belastingen op het karmische niveau schuil, dan blijft zo'n behandeling noodzakelijkerwijs oppervlakkig.

Vereenvoudigd kan in het energiesysteem de volgende hiërarchie opgesteld worden, die vijf bereiken omvat:

Stoffelijke pool

Bereik I: organen (b.v. lever), zenuwen (b.v. driehoekszenuw)

Bereik II: meridianen (b.v. nier-meridiaan)

Bereik III: secundaire chakra's (b.v. energiecentra in de handen), primaire chakra's (b.v. zonnevlecht)

Bereik IV: individueel-karmisch niveau (b.v. individuele schuldcomplexen en fixaties, die uit eerdere incarnaties stammen)

Bereik V: sociaal-karmisch niveau (b.v. groeps- en sociaal bepaalde fixaties en schuldcomplexen) (trefwoord: 'collectieve schuld')

↑ ↑

Ideële pool

De indeling is bij de beoordeling en behandeling van gezondheidsproblemen zeer nuttig. Je kunt door pendelen, door bevragen of met behulp van een jou vertrouwd orakel vaststellen op welk energieniveau de bij de behandeling gevonden blokkade haar wortels heeft, waarna je daar gericht met reiki op kunt inwerken. Dat bespaart veel tijd, die anders in te oppervlakkig of juist te diepreikend energiewerk gestoken zou worden. Hoe organischer en acuter een stoornis is, des te directer je ze met reiki kunt bewerken. Blokkades op karmisch niveau, zowel individueel als groepskarma dus, kunnen alleen door regelmatige en tijdrovende algehele reiki-behandelingen met aanvullende therapeutische maatregelen opgeheven worden. De reiki-kracht bereikt weliswaar alle blokkades op alle niveaus, maar het is in bereik

IV en V absoluut noodzakelijk de daar 'vastzittende' energieën uit te leven en op de een of andere manier te ervaren. Reiki stimuleert dat, wekt nieuwsgierigheid en geeft kracht. Maar de behandeling kan je nooit het werk uit handen nemen dat je moet verrichten om de in je leven spelende krachten feitelijk te ervaren.

Hieronder volgen enkele suggesties voor hoe je reiki kunt benutten voor het harmoniseren van stoornissen op de diverse niveaus:

Bereik I: de reiki-kracht lokaal toepassen, in dit geval in de betrokken organen en de ermee corresponderende reflexzones laten stromen

Bereik II: de reiki-kracht langs de meridianen en primaire organen laten gaan

Bereik III: chakra-evenwicht; gericht chakra- en reiki-werk met primaire en secundaire chakra's

Bereik IV: algehele behandeling; mentale behandeling met de 2e reiki-graad; aanvullend reiki-werk met de corresponderende hoofdchakra

Bereik V: algehele behandeling; mentale behandeling met de 2e reiki-graad; aanvullend reiki-werk met de corresponderende hoofdchakra

Deze opsomming mag niet als 'gebruiksaanwijzing' opgevat worden, de voorbeelden zouden je veeleer tot nadenken moeten aanzetten. Heb je het gevoel dat je daarnaast andere methoden moet toepassen, doe dat dan ook. De reiki-kracht is uiterst doelmatig, maar zoals alles hier op aarde geen wondermiddel, dat ieder mens in iedere situatie stante pede van welke ziekte ook geneest.

Praktische voorbeelden van stoornissen op de verschillende niveaus

Voor een typisch 'keukenongelukje', een bij het schoonmaken van de groente opgelopen snee in de vinger, is geen reiki-behandeling van de 1e, 2e en 3e chakra nodig; een dergelijke behandeling wordt pas bij grotere ongelukken van dit soort noodzakelijk. Het volstaat dat je je hand op enige afstand boven de wond houdt, om lichte bloedingen te stelpen en complicaties te voorkomen. Gaat een stoornis dieper tot aan de zenuwen, dan moet ze, nadat de plaats van de wond onmiddellijk behandeld is, ook daar met de reiki-kracht in evenwicht worden gebracht. Een voorbeeld: je bent zo nerveus, dat je louter door je gespannen zijn in je vinger snijdt. In dat geval kan na de wondbehandeling een balancering van de beide hersenhelften en harmonisering van de zonnevlecht met reiki helpen de dieperliggende oorzaken van de verwonding uit de weg te ruimen.

De chakra's komen in het spel, wanneer iemand zich voortdurend snijdt of anderszins verwondt, zonder dat organische problemen (zoals een slecht gezichtsvermogen) deze tendens verklaren. Neigt iemand naar ongevallen, dan kan een stoornis in de 1e chakra daarvan de oorzaak zijn. De betrokkene laat het toe dat hem schade wordt aangericht. Zijn 'levenswil' is om de een of andere reden niet sterk genoeg om de veelvuldige ongelukken te verhinderen. In dit geval zou het bekkengebied met reiki bewerkt moeten worden, terwijl je als therapeut ook samen met je cliënt de 'achterliggende reden' voor de neiging zou moeten proberen uit te vissen, zodat die met gericht reiki-werk weggenomen kan worden.

Zijn schuldgevoelens de oorzaak van de tendens tot zelfverwonding, dan moeten ook de karmische bereiken in de behandeling betrokken worden. Voor dat doel kun je met de algehele behandeling en met de mentale behandeling van de 2e reiki-graad werken.

Natuurlijk kun je ook zonder voorafgaande analyse van de problemen nuttig reiki-werk verrichten. Waarschijnlijk zullen de resultaten dan echter langer op zich laten wachten. Aan veel valt misschien ook helemaal niets te doen, omdat het je zonder zo'n analyse aan het juiste uitgangspunt ontbreekt, waarmee je het onderbewuste van je cliënt nieuwsgierig en daardoor bereid tot het opnemen van reiki kunt maken.

De in dit hoofdstuk geschetste samenhangen garanderen een eerste beoordeling van de door je cliënt op zijn fijnstoffelijk niveau belichaamde verhoudingen. Wil je meer weten, bezoek dan enkele seminaries over chakraleer, anatomie en acupunctuur/acupressuur en lees er goede literatuur over.

Intussen is er een groot aantal lezenswaardige boeken over de chakra's. Wel levert die grote hoeveelheid voorhanden zijnde literatuur juist de beginner ook problemen op. Hoe kan hij in al die ordeningen en systemen zijn weg vinden? De klassieke hindoeïstische yoga kent zes, de Tibetaanse boeddhistische yoga vijf of zes en de taoïstische yoga zeven energiecentra. Alsof dat nog niet genoeg is hebben contemporaine leermeesters het dikwijls zelfs over negen primaire energiecentra, omdat het getal negen met het aantal planeten correspondeert. De vooruitstrevendste systemen komen tegenwoordig tot niet minder dan twaalf energiecentra.

Maar er bestaat niet alleen over het aantal onenigheid. Veel systemen maken onderscheid tussen een wortel- en seksuele chakra, andere nemen beide chakra's samen. De seksuele chakra wordt vaak ook als miltchakra aangeduid en in de streek van de milt gelokaliseerd. Enkele leraren beweren dat de 3e chakra onder de navel ligt, terwijl andere hem in de buurt van de zonnevlecht plaatsen. De lijst van ongerijmdheden kan nog gemakkelijk een tijd aangevuld worden, maar ik geloof dat de problemen van de chakraleer zo wel duidelijk zijn geworden. Precies zo verward als jij nu waarschijnlijk bent was ik ook, toen ik me met de fijnstoffelijke processen in mijn lichaam ging bezighouden. Hoe kan deze knoop nu ontward worden?

Heel eenvoudig: alle systemen hebben gelijk.

Ben je nu nog meer in de war? Ik zal proberen uit een te zetten wat ik daarmee bedoel. Vooruit: roep je nog eens het aangestipte schema van de hiërarchie in het menselijk energiesysteem voor de geest. Het loopt van de materiële pool aan de ene naar de ideële pool aan de andere kant.

Materieel betekent ook: stoffelijk; vatbaar en definieerbaar; meetbaar en weegbaar; traag; analytisch begrijpbaar; objectief waarneembaar; het is de uitgekristalliseerde, geconcretiseerde pool (yin).

Ideëel betekent ook: energetisch; onvatbaar en ondefinieerbaar; vluchtig, ongrijpbaar en subtiel; synergetisch te bevatten; tijdeloos; subjectief waarneembaar; zonder vorm (yang).

Het staat buiten kijf dat er chakra's zijn. Ze kunnen indirect door middel van geavanceerde elektronica bewezen worden. Helderzienden kunnen ze beschrijven en uit hun toestand conclusies trekken, die door ander onderzoek bevestigd worden. Iedereen kan leren er met succes mee te werken. Wanneer verschillende mensen dat nu echter juist doen, komen ze (zoals overigens de vakmensen op alle kennisgebieden) ook tot verschillende uitkomsten. Ze zullen de chakra's op verschillende plaatsen lokaliseren en hun functies verschillend definiëren.

Dat valt des te gemakkelijker te begrijpen, wanneer we ons bedenken dat de chakra's kwalitatief tot de 'ideële' pool van het bestaan te rekenen zijn, die naar zijn aard eerder 'niet-uitgekristalliseerd' en 'vormloos' is. Dat betekent evenwel dat de positie en functie van deze belangrijke energiecentra wezenlijk afhangen van het subjectieve gezichtspunt van de waarnemer en de 'materiële' feitelijkheden hun werkzaamheid niet eensluidend kunnen bepalen.

Condities zoals de cultuur, algemeen aanvaarde voorstellingen, ras, individueel karma, ontwikkelingsnadrukken van de enkeling en zijn sociale groep, met al haar tradities, leggen vast hoe iemand zijn psychisch-geestelijke structuur beziet en haar uiteenlopende functies beoordeelt. De chakrasystemen van de Eskimo's, joden, Chinezen, christenen en Indiërs kunnen daarom niet anders dan op vele punten van elkaar afwijken. En desondanks 'functioneren' ze in hun sociale kader. Overal vind je magische praktijken en wegen van zelfverwerkelijking, die de mens helpen zichzelf te vinden en op zinnige wijze met zijn omgeving om te gaan.

Dat betekent echter: geloof je diep in je innerlijk dat je negen (of drie of zeven) chakra's in je draagt, en lukt het je toegang tot deze door jou ergens gewaargeworden en nader gedefinieerde centra te verkrijgen en ermee te werken, dan zal je chakrawerk ook tot de gewenste resultaten leiden. Is dat niet leuk! Zoals je misschien al vermoedt, zit er echter een addertje onder het gras. En dat is: je kunt je chakra's niet eenvoudig willekeurig voor jezelf definiëren, want je chakra's zijn over het geheel genomen door het in je werkende individuele levensplan vastgelegd. Wanneer je dan ook van plan bent je lievelingssysteem, bestaande uit 64 chakra's, op maat te snijden en ermee aan de slag te gaan, zul je in dit leven daar waarschijnlijk geen groot succes meer mee boeken. Door de sociale en traditionele samenhangen waarin je geboren en getogen bent, zijn bepaalde voorstellingen van je innerlijke en uiterlijke wereld reeds vast in je verankerd.

Wat kun je nu beginnen met het inzicht dat zelfs de chakra's betrekkelijk zijn?

Ten eerste zal deze visie je lange discussies en gekibbel over de geldigheid van bepaalde systemen besparen. Je hoeft je niet in te laten met verhitte disputen over meningen van schrijvers en historische en wetenschappelijke bewijzen voor deze of gene leer. Alles wat je hoeft te doen is: zie, luister en voel in jezelf welk systeem goed bij jou past. Dan kun je meteen met het praktische werk beginnen.

Nog een keer stap voor stap: kijk in jezelf welk chakrasysteem je bij jezelf kunt waarnemen. Heb je dat vastgesteld, dan weet je meteen in welk kader je je bewegen, ofte wel welke chakra's je in je werk betrekken moet. Dan kun je direct met het oefenen beginnen en het kader ongeremd met kennis en ervaringen verder invullen. Wanneer je enige tijd met je eigen energiesysteem praktisch geoefend hebt, zul je ook gemakkelijk kunnen vaststellen of het in de door jou voorgestelde vorm bestaat of dat je jezelf om de een of andere reden iets voorgehouden hebt. Vaak willen we graag een bepaald systeem vinden, dat echter niet met onze eigenlijke subjectieve feitelijkheid strookt. Tao-yoga en Chi Kung-oefeningen kunnen ons in zulke gevallen de benodigde helderheid verschaffen.

Heel nuttig voor het eigen werk is het leren kennen van een in zichzelf besloten, zo volledig mogelijk systeem. Dan ben je er niet toe gedwongen 'het wiel nog eens uit te vinden'. Je kunt een overzicht van de mogelijkheden en samenhangen verkrijgen, dat je helpt optimaal met jouw systeem te werken.

Met het oog daarop zal ik je nu mijn systeem presenteren. Het is zo goed of zo slecht als welk ander ook, maar het heeft voor jou op dit moment het voordeel dat het door mij, dank zij veel oefening en ervaring, levendig voorgesteld wordt. Ik ken het door en door en kan je dus veel tips voor de praktijk geven.

Overigens zijn, zoals boven reeds ter sprake is gekomen, voor de meeste mensen met dezelfde traditie veel fijnstoffelijke aspecten nagenoeg gelijk. Daarom zul je waarschijnlijk met mijn systeem ook succes kunnen boeken. Slaag je daar niet in, denk dan aan de bovengenoemde varianten en probeer het systeem te begrijpen dat voor jou passend is. Heb je eenmaal een complexe chakraleer begrepen, dan zal het je gemakkelijk afgaan de andere ook te doorgronden en ermee om te gaan.

Voordat ik op details inga, moet je de hierna volgende vragenlijst op de volgende wijze invullen: bij elk begrip aan de linkerkant noteer je rechts, zonder lang na te denken, de eerste drie woorden die in je opkomen. Deze associeermethode geeft je een eerste dicht bij de praktijk staande kennismaking met de functies van de chakra's en je instelling ertegenover. Opdat je met reiki of een andere geschikte methode gericht aan je chakra's kunt werken, is het beslist noodzakelijk dat je vaststelt met welke chakra's je goed of minder goed overweg kunt. Je moet weten welke delen van jezelf je liefdevol kunt aannemen en welke niet. Daarmee baken je je grenzen beter af en begeleidt je cliënten ook met meer overleg en bewustzijn. Alleen onder deze voorwaarde kun je de eventueel in het verloop van het reiki-werk opduikende problemen juist inschatten en dan beslissen welke extra maatregelen je voor welke plaatsen wilt nemen en welke andere maatregelen en bereiken je achterwege dient te laten.

Chakragram voor het zijnsbereik 'aarde'

Wortelchakra

Leven: . . . .

Dood: . . . .

Strijd: . . . .

Werk: . . . .

Kind: . . . .

Bezit: . . . .

Aarde: . . . .

Ras: . . . .

Seksuele chakra

Aanraking: . . . .

Intimiteit: . . . .

Vrouw: . . . .

Man: . . . .

Lust: . . . .

Bewustzijn: . . . .

Water: . . . .

Moeder: . . . .

Chakragram voor het zijnsbereik 'mens'

Zonnevlechtchakra

Macht: . . . .

Persoonlijkheid: . . . .

Ik: . . . .

Bezit: . . . .

Angst: . . . .

Afgunst: . . . .

Schoonheid: . . . .

Vader: . . . .

Trots: . . . .

Hartchakra

Liefde: . . . .

Leven en laten leven: . . . .

Licht: . . . .

Genezing: . . . .

Leven: . . . .

Vereniging: . . . .

Donkerte: . . . .

Familie: . . . .

Openheid: . . . .

Chakragram voor het zijnsbereik 'hemel'

Keelchakra

Discussie: . . . .

Gezang: . . . .

Stem: . . . .

Uitdrukkingskracht: . . . .

Resonantie: . . . .

Houding: . . . .

Waarheid: . . . .

Openbaarheid: . . . .

Toeschouwer: . . . .

Toneelspeler: . . . .

Publiek: . . . .

Voorhoofdschakra

Intuïtie: . . . .

Doel: . . . .

Trouw: . . . .

Verstand: . . . .

Inzicht: . . . .

Analyse: . . . .

Synthese: . . . .

Vertrouwen: . . . .

Natuur: . . . .

De in de vragenlijst opgenomen begrippen betreffen zijnsbereiken die nauw met de chakra's samenhangen, terwijl de door jou genoteerde associaties je instelling op dit moment tegenover de in deze zijnsbereiken mogelijke ervaringen weerspiegelen. Ze geven echter - en dit is een belangrijke beperking, waarop je moet letten - nog geen compleet beeld. Je moet er eerst nog helderheid over verkrijgen of het gekozen begrip voor jou 'positief' of 'negatief' uitpakt. Voor verdere evaluatie kun je achter de door jou gevoelsmatig als positief beoordeelde associaties een plusteken noteren en achter de als negatief gewaardeerde een minteken. Neutraliteit bestaat hier niet. Ze is in de meeste gevallen trouwens toch een regelrechte leugen: een masker, dat je werkelijke instelling moet verdoezelen, omdat je er om de een of andere reden bang voor bent dat je oordeel misschien wat onthult wat je zelf liever niet ziet. Ten slotte tel je de waarderingen (de plussen en minnen) voor elk chakragram apart op.

Deze kleine waarderingsoefening toont je in hoeverre je jezelf op de verschillende zijnsbereiken kunt aanvaarden zoals je bent. Een plusteken betekent: 'op het moment aanvaard', een minteken: 'op het moment afgewezen'. Heb je overal positieve waarderingen genoteerd, dan wijst dat er ofwel op dat je liegt dat je barst, ofwel dat je, op dit moment en in deze bereiken, bereid bent de werkelijkheid oningeperkt tot je toe te laten - zoals ze nu eenmaal is. In een met plustekens ingevuld bereik zijn dus geen of slechts zeer zwakke blokkades te vinden. Er staat niet veel je zelfverwerkelijking in de weg.

Heb je de oefening met enige weken ertussen enkele keren zorgvuldig en eerlijk gedaan, en heb je gedurende deze periode met je behandelingen veel reiki-kracht gegeven, dan zul je veranderingen in je waarderingen vaststellen. Je zit al midden in het chakrawerk met reiki!

Volgens dezelfde methode kun je de vooronderstellingen en het ontwikkelingsproces van je reiki-cliënten toetsen. Een vragenlijst is daarvoor niet altijd even raadzaam. Veel mensen hebben dan het gevoel dat ze een examen moeten afleggen. Om zulke angsten te vermijden, kun je beter bij de gezamenlijke gesprekken letten op begripswaarderingen die rechtstreeks bij een van de chakra's horen. Maar vergeet daarbij niet dat ook je eigen bril gekleurd is en respecteer het eigene van je cliënt, die immers je partner in het gemeenschappelijke genezingsproces is. Anders verwordt je zogenaamde 'bewustzijn' tot een vooroordeel en verandert de vertrouwensvolle openheid van de therapeutische relatie in een machtsspel onder het motto: 'Wie is hier nu echt bewust en echt al een stuk verder op de weg.'

Het openen van de chakra's

Wanneer je je chakra's in alle bereiken kunt aannemen en hun energieën vreugdevol tot uitdrukking kunt brengen, ben je zeer dicht bij de zogenaamde verlichting. En daarmee ben je God heel nabij. God neemt alles zoals het is. Houdt van alles en bevat alles. Niet in begrensde menselijk zin, maar in allesomvattende. God is liefde zonder grenzen.

Begrippen als 'verlichting', 'God', 'Christuskracht' refereren aan de onvoorwaardelijke aanvaarding van de wereld. Zo aanvaardde Jezus zijn discipel Petrus als apostel en vriend, niettegenstaande deze hem op een moeilijk moment driemaal verried.

Wat vertelt dat ons nu over de chakraleer en reiki?

Het door velen geroemde 'openen van de chakra's' betekent dat we, na de voltooiing ervan, alle erin gespiegelde zijnsbereiken onvoorwaardelijk en liefdevol kunnen aanvaarden. Volgens de hermetische wet van 'zo binnen, zo buiten' betekent het derhalve ook het liefdevol accepteren van onze medemensen en de wereld. Dit openen van de chakra's is de voorwaarde voor de harmonieuze integratie van de opgewekte kundalini-energie in het fijnstoffelijke energiesysteem van de mens.

Maar zijn de chakra's helemaal niet of niet ver genoeg geopend, dan leidt een opwekking van de kundalini tot een catastrofe. Ja, een catastrofe! Dat moet volkomen letterlijk begrepen worden. Een voorbeeld ter veraanschouwelijking: stel je voor dat je water met 100 atm door een slang perst. Wat zal er denk je gebeuren?

Met behulp van reiki kunnen de chakra's harmonieus geopend worden, zodat het fijnstoffelijke energiesysteem op de constructieve aanwending van de kundalini is voorbereid. Voor het openen moet er echter eerst nog een zuivering en eventueel herstel van beschadigde chakra's plaatsvinden, plus dat ze met het innerlijke energiesysteem verbonden dienen te worden. In het verloop van dat proces worden we ons onvermijdelijk bewust van schuldcomplexen en fixaties (voor-opgestelde, sjabloonachtige meningen, volgens welke de wereld er 'zo en niet anders' uitziet). Het wegnemen daarvan vormt een absoluut noodzakelijke voorwaarde voor het openen van de chakra's, omdat in zulke complexen een hoop energie 'bevroren' zit, die we voor het openen en natuurlijk functioneren van de energiecentra nodig hebben.

Een groot deel van dat werk kun je uiteraard ook zonder kennis van chakra's met de reiki-kracht alleen voor elkaar krijgen. Maar je zult de genezing versnellen en verdiepen, wanneer je weet welke hindernissen je mogelijk op je weg tegenkomt.

Zoals je weet wordt reiki door de recipiënt van de behandeling 'opgezogen'. Bestaat er bij hem een onbewuste blokkade tegen levendige veranderingen, dan zal er daardoor in het begin weinig gebeuren. Vooropgesteld dat je cliënt ondanks de aanwezige blokkades echt aan het genezingsproces wenst te beginnen, kun je met gericht reiki-werk en de andere in dit boek gepresenteerde methoden de condities daarvoor scheppen. Er zijn maar weinig blokkades die zo diep zitten, dat ze niet in de een of andere vorm de nieuwsgierigheid en levenslust van het onderbewuste laten wekken. Is dat gebeurd, dan zal er reiki stromen en het lichaam op alle niveaus tot zelfgenezing aansporen.

Wanneer een wezen groter bewustzijn en een groter vermogen tot liefhebben wil ontwikkelen, is het voor dat doel alles toegestaan wat het zulke vrijheid kan brengen, vooropgesteld dat het anderen niet tegen hun wil benadeelt. Dat zeg ik niet lichtvaardig. Kijk maar eens hoe het er in de natuur aan toegaat...

Maar nu naar het functioneren van de afzonderlijke chakra's.

De wortelchakra lokaliseer ik helemaal onder in de onderbuik, tussen de benen, terwijl de seksuele chakra in mijn systeem vlak boven de venusheuvel (schaambeen) ligt. Ik behandel deze twee centra samen, omdat ze elkaar in hun functie rechtstreeks aanvullen en te zamen onder het zijnsbereik 'aarde' vallen.

Deze toekenning dient in het kort verklaard te worden. Ik werk met zes hoofdchakra's (waar nog een extra hoofdchakra bijkomt) en tien belangrijke bijchakra's. Er zijn er nog veel meer, maar in de meeste gevallen volstaan die tien. De zes primaire chakra's benoem ik als volgt:

1e chakra = wortelchakra
2e chakra = seksuele chakra
3e chakra = persoonlijkheidschakra
4e chakra = hartchakra
5e chakra = uitdrukkingschakra
6e chakra = inzichtschakra

De tien secundaire chakra's zijn als volgt verdeeld:

- twee bijchakra's in beide handpalmen (ze sturen het contact met de omgeving en het overdragen van levensenergie; energetisch zijn ze met de nieren en met de 2e, 3e en 4e hoofdchakra verbonden)

- twee bijchakra's op beide voetgewelven (ze sturen het contact met de aarde, het opnemen van energie (aarding) en het afgeven van 'fijnstoffelijk afval' aan de aarde; energetisch zijn ze met de lever en gal en met de 1e en 3e hoofdchakra *en* met de aura verbonden)

- twee bijchakra's direct onder beide schouders (ze sturen de wijze waarop we met verantwoordelijkheid omgaan; energetisch zijn ze met de 3e en 5e hoofdchakra verbonden)

- twee bijchakra's in de kniegewrichten (ze sturen het leer- en onderwijsvermogen en de flexibiliteit; verder het vermogen om de juiste instelling voor leren en onderwijzen op te wekken; voorts trots en minderwaardigheidsgevoelens; energetisch zijn ze met de 5e en 6e hoofdchakra verbonden)

- twee bijchakra's in de ellebogen (ze sturen ons vermogen tot aannemen en afgeven, alsmede ons doorzettingsvermogen; energetisch zijn ze met de longen en de alvleesklier en met de 2e en 3e hoofdchakra verbonden)

De 7e hoofdchakra, ook wel schedel-, kruin- of kroonchakra genoemd, laat ik meestal buiten beschouwing. Enerzijds omdat hij zich naar mijn ervaring ontwikkelt door de verheldering van de andere zes energiecentra; anderzijds omdat de zich op het niveau van de 7e chakra voltrekkende processen zich maar heel slecht met woorden of beelden laten beschrijven. De 7e chakra is in wezen louter op basis van directe ervaring te begrijpen.

De zes bovenopgesomde chakra's verdeel ik in drie groepen: de groepen 'aarde', 'mens' en 'hemel'. Elke groep bestaat uit twee chakra's, waarvan telkens de ene op zijn zijnsniveau het yang-aspect kracht (idee) en de andere het yin-aspect relatievermogen (ervaring) reflecteert en structureert. Hun werkingsterrein is in het kort als volgt:

Eerste groep = zijnsniveau 'aarde': het yang-aspect kracht zit in het wortelcentrum en het yin-aspect relatievermogen in het seksuele centrum. De eerste groep van het zijnsniveau 'aarde' vormt de basisvoorwaarde voor ons bestaan als in het materiële bereik geïncarneerd wezen. Ze bestaat uit de 1e en 2e chakra.

Tweede groep = zijnsniveau 'mens': het yang-aspect kracht zit in de zonnevlechtchakra en het yin-aspect relatievermogen in de hartchakra. De tweede groep van het zijnsniveau 'mens' is de basisvoorwaarde voor onze menselijkheid. Ze bestaat uit de 3e en 4e chakra.

Derde groep = zijnsniveau 'hemel': het yang-aspect kracht zit in het keelcentrum en het yin-aspect relatievermogen in het voorhoofdscentrum. De derde groep van het zijnsniveau 'hemel' is de basisvoorwaarde voor onze goddelijkheid (vrije ontplooiing in samenspel met het universum). Ze bestaat uit de 5e en 6e chakra.

De toekenning van de chakra's aan de drie zijnsbereiken is geen theoretisch gespeel, maar kan in de praktijk uiterst nuttig blijken, omdat ze de thematiek en het werkvlak van de afzonderlijke chakra's in één oogopslag overzichtelijk voorstelt. Met behulp ervan kun je snel en zeker een overzicht van de wortels van eventuele blokkades krijgen. Je hoeft er daartoe alleen op te letten in welk, ook lichamelijk gemakkelijk af te bakenen, zijnsbereik je cliënt levendig en vitaal is, en in welk hij in bepaalde omstandigheden naar starheid en fixatie neigt. Bij deze drie zijnsniveaus horen overigens de volgende kristallen:

bergkristal ('aarde'), rozekwarts ('mens') en amethist ('hemel'). Meer daarover vind je in hoofdstuk 12.

De inzichten in de zijnsniveaus heb ik aan de I Tjing ontleend, die ik het beste leerboek over het onderwerp chakra's en fijnstoffelijke energiesystemen vind. Om het voor dat doel te gebruiken, moet je evenwel over enige ervaring en bepaalde sleutels beschikken. Zonder die zijn de verborgen boodschappen niet te begrijpen. Ik zal ze later in een ander boek uiteenzetten.

De chakra's in het zijnsbereik 'aarde'

Wortelchakra

In het wortelcentrum drukt de wil tot bestaan zich uit: het is de krachtbron voor de overlevingsstrijd en voor de soort in stand houdende rol van de seksualiteit. Zonder een functionerende wortelchakra kan een levend wezen zich niet harmonieus ontwikkelen. De andere energiecentra kunnen de functie van dit centrum niet overnemen. Het levert de kracht die in de andere centra nodig is voor contacten met de omgeving en hun harmonieuze verwerking voor de persoonlijke ontwikkeling. Zonder kracht gebeurt er niets. Zonder de wil tot (over)leven, die eveneens hier geuit wordt, evenmin. Bij het chakrawerk met reiki dient dan ook voor alles bepaald te worden of dit belangrijke energiecentrum eigenlijk wel toereikend functioneert.

Blokkades in het wortelcentrum uiten zich psychisch dikwijls in de volgende vormen: extreem pacifisme ('Ik zou nooit iemand kunnen ombrengen!'); levensangst ('Geen enkel verstandig mens kan toch kinderen op deze wereld zetten!'); te heftige agressie ('Zet die pummels tegen de muur!'); doodsangst ('Ik kan toch zeker geen onberekenbare risico's nemen!'); moeilijkheden met orde en tijdsindeling ('Ik weet ook niet waarom ik toch altijd te laat kom!'); ongeduld ('Waarom rijdt die idioot nou niet door!'); en afhankelijkheid ('Zonder hem/haar/het kan ik niet leven!').

Blokkades in de wortelchakra uiten zich lichamelijk veelvuldig in de vorm van: ledematen-, gebits- en ruggegraatsklachten; ziekten die het regeneratievermogen schaden; ziekten en klachten tussen dikke darm en anus.

Afb. 30: De zeven hoofdchakra's
(van beneden naar boven de chakra's 1-7)

Samenvattende kernspreuk voor een verstoorde wortelchakra: 'Hij staat niet met beide benen in de wereld.'

Seksuele chakra

Het seksuele centrum reguleert ons vermogen om de wereld te beroeren en door de wereld beroerd te worden. Volgens de hermetische wet 'zo binnen, zo buiten' behoort daartoe ook het vermogen om onszelf waar te nemen. Zonder dit waarnemingsvermogen is er geen erotiek, geen bevredigend, genotvol seksueel beleven mogelijk. En evenmin werkelijke levensvreugde. Coördinatie van lichaamsexpressie (lichaamsgevoel!), inlevingsvermogen, zinnelijk genot in iedere vorm (cultuur- en kunstgenot), al deze prachtige ervaringen en dingen kunnen pas tot hun volle pracht komen, wanneer onze seksuele chakra pulseert en werkt.

Blokkades in de seksuele chakra uiten zich psychisch vaak in de volgende vormen: angst voor intimiteit ('Raak me in vredesnaam niet aan!'); afkeer van lichamelijkheid ('Seksualiteit is voor dieren, mensen zijn voor iets hogers geboren!' Deze afkeer kan ook als smetangst of een schoonmaaktic enzovoorts tot uiting komen); traagheid van begrip ('Begrijp ik niet!'); nadruk op het verstand ('Wat heb ik aan gevoelens, daar koop ik niets voor!'); overdreven waardering voor vluchtige gevoelens ('Nadenken levert niets op. Ik doe alles zoals het komt. No mind!'); ritmestoornissen ('Ik dans niet graag en ook niet goed!' 'Waarom heb ik toch elke keer zo'n pijnlijke menstruatie?' 'Ik werk het liefst 's nachts!'); geïsoleerdheid ('Trouwen of relaties zijn niets voor mij! Heb ik ook niet nodig!'); frigiditeit, impotentie, ontbrekende orgasmereflex ('Ik heb geen seks nodig, ik snap totaal niet wat anderen daar aan vinden, is zo saai!'); valangst ('Ik zal nooit van de drie-meterplank springen!'). Wie zijn omgeving niet waarneemt of uitsluitend als vijand beschouwt, kan zich er ook niet tegen beschermen of is er als de dood voor.

Blokkades in de seksuele chakra uiten zich lichamelijk vaak in de vorm van ziekten die samenhangen met de lichaamsvloeistoffen (bloed, lymfe, speeksel, gal) of met de organen die deze vochten verwerken (nieren, blaas, lymfklieren). Voorts is er in veel gevallen een versterkte tendens tot infecties waar te nemen.

Samenvattende kernspreuk voor een verstoorde seksuele chakra: 'Hij beleeft geen vreugde aan het leven.'

Wanneer de twee chakra's van het zijnsbereik 'aarde' niet in al hun aspecten geopend zijn, worden ze niet liefdevol aanvaard en kunnen ze niet ongeremd functioneren, waardoor ook de overige chakra's zich niet kunnen openen en alleen op zeer geremde wijze functioneren.

De chakra's in het zijnsbereik 'mens'

De zonnevlecht- of persoonlijkheidschakra is het krachtcentrum en de hartchakra het relatiecentrum van dit bereik, dat de persoonlijke en sociale intenties en vaardigheden van de mens reguleert. De strevingen van het ik, ofte wel het poneren van de eigen persoonlijkheid vanuit het zonnevlechtcentrum, worden weergegeven door de ene pool, en de bereidheid tot acceptatie van het eigene en het ik van de overige levende wezens in het hartcentrum door de andere. In de zonnevlechtchakra drukt de wil tot individualiteit zich uit. Zijn motto luidt: 'Ik wil, dus ik ben.' Ten gevolge daarvan kan een functiestoornis van de zonnevlechtchakra zich tamelijk heftig uiten in machtsaanspraken, dogmatische starheid, angst voor overgave ('Ik kan mijn individualiteit niet prijs geven, dan zou ik dood zijn, ja er simpelweg niet meer zijn'), jaloezie, bezitsdrang en bezitsdenken.

De zonnevlechtchakra is uiterst belangrijk voor onze weg naar God, want hij vormt een goed uitgangspunt voor verlossing van karma. Hier zetelen namelijk ook onze persoonlijke vrijheid en onze schuldgevoelens: dus zowel ons potentieel onbegrensd ontwikkelingsvermogen als onze zelfopgelegde beperkingen. Alleen wanneer hij angst en schuldgevoelens, alsmede de daaruit resulterende machtsaanspraken kan loslaten, kan iemand ook de anderen zich in vrijheid laten ontplooien, van hen houden en hen accepteren. De weg naar het openen van het hart gaat kortom langs de zonnevlecht.

Zonnevlechtchakra

Blokkades in het zonnevlechtcentrum uiten zich psychisch vaak in de vorm van: machtsaanspraken ('Mijn man', 'mijn vrouw', 'mijn kind', 'mijn geld'); hebzucht ('Het leven is toch de moeite niet waard, als ik niet steeds meer kan verdienen, een geliefde heb en elk jaar in een nieuwe auto rijd!'); kooplust ('Ik heb dringend een nieuwe plunje nodig!'); statusangst ('Wat vang ik aan, wanneer mijn baas mij ontslaat, ik de test niet doorkom, mijn woning niet ordentelijk opgeruimd is, wanneer vrienden op bezoek komen!'); afgunst ('Heeft die vent toch alweer een nieuwe auto voor de deur staan!').

Blokkades in het zonnevlechtcentrum uiten zich lichamelijk vaak in de vorm van: maagkwalen, infecties van de twaalfvingerige darm, alvleesklierdysfuncties, lever- en galkwalen, verstoorde maagsapsecretie, speekselklieraandoeningen ('Ik ben sprakeloos!').

Bij een hypofunctie van zijn zonnevlechtcentrum lijkt de betrokkene in zijn gedrag en voorkomen zo'n spreekwoordelijke 'grauwe muis'. Bij een hyperfunctie is hij daarentegen de typische 'mens met macht' of 'familietiran'.

Samenvattende kernspreuk voor een verstoorde zonnevlechtchakra: 'Hij heeft zijn hart aan de wereld verloren.'

Hartchakra

Wanneer de hartchakra in evenwicht is, schenkt hij ons het vermogen om de wereld, onszelf en andere mensen te aanvaarden zoals ze zijn. Kreeg in de zonnevlechtchakra de eigen persoonlijkheid vorm, dan is de hartchakra de plaats om dit zelfgeschapen beeld van de 'persoonlijkheid' met alles erop en eraan, goede trekken en fouten te accepteren, aan te nemen en ervan te leren houden.

De beste leuze voor deze taak is het gebod: 'Heb je naasten lief zoals jezelf'. Wanneer ik mijzelf niet aanvaard en voortdurend in onvrede met mijzelf leef, alleen maar omdat ik niet ben zoals ik graag wil zijn, er niet als Marilyn Monroe dan wel als Clark Gable uitzie en evenmin zo prachtig kan zingen als Placido Domingo of Tanita Tikaram, kan ik ook mijn medemensen niet ontspannen en liefdevol ontmoeten. In plaats daarvan zal ik hun verwijten dat ze me al weer teleurstellen, mijn goede bui verpesten, 'kapitalistische varkens' of 'proleten' zijn. Kan ik mijn vooroordelen en waarden evenwel heel ontspannen te aanvaarden, dan zal ik ook inzien welke unieke vermogens er in mezelf en de anderen schuilen. Aangezien ik deze vermogens dan bovendien als behulpzaam en nuttig onderken, zal ik ze met vreugde accepteren.

Ook reiki begint zijn werkzaamheid vanuit het hartcentrum. Genezing vindt altijd dan plaats, wanneer het zieke deel aanvaard wordt. De essentie van reiki echter is liefde, 'vreugdevol aannemen'.

Blokkades in het hartcentrum uiten zich psychisch vaak in de vorm van: voorwaarden in de liefde ('Als jij niet doet wat ik wil, kan ik niet van je houden!'); onderdrukkende liefde ('Maar kind toch, ik wil het toch alleen om je eigen bestwil!'); overdreven onzelfzuchtigheid ('De mens is op de wereld om anderen te helpen. Wat zou er van terecht komen, als iedereen louter aan zichzelf dacht!'); egoïsme of zelfzuchtigheid ('Ik mag het, jij niet!' 'Jij moet er voor mij zijn!').

Blokkades in het hartcentrum uiten zich lichamelijk vaak in de vorm van: hartklachten, ontregelde functie van de thymusklier, longziekten, verder in bloedsomloopstoornissen, kramp, kanker en aids.

Bij een hypofunctie van de hartchakra neigt de betrokkene ertoe meedogenloos ten aanzien van zichzelf en anderen te zijn. Bij een hyperfunctie drijft hij zijn tolerantie te ver door, namelijk tot aan het zichzelf volledig wegcijferen.

Samenvattende kernspreuk voor een verstoorde hartchakra: 'Ik-die-dat moet...'

De chakra's in het zijnsbereik 'hemel'

Keelchakra

De in het zijnsbereik 'hemel' vallende chakra's representeren het hemelse of goddelijke niveau. Het keelcentrum stuurt onze zelfexpressie, structureert dus onze lichaamshouding, spraak, mimiek en gebaren. Het verkeerd functioneren ervan kan in demagogie en tirannie tot uitdrukking komen. Met zijn beide polen 'zelfexpressie van mijn persoonlijkheid in eenheid met het universum' (aliquottonengezang, spirituele muziek) en 'zelfexpressie van wilde, aangescherpte, van de totaliteit van het leven geïsoleerde individualiteit' (*heavy metal*, demagogie, zwarte magie) vormt de 5e chakra de scheidslijn met de buitenwereld. Hij weerspiegelt onze binnenwereld en zorgt aldus ook voor een bij ons passende omgeving, zowel in materiële als in sociale zin. Iedere innerlijke 'verkeerde houding' blijkt in de uiterlijke lichaamshouding en -vorm.

Het motto van de keelchakra luidt: 'Ik toon wat in me zit.' Orfeus, de Griekse held, kon met zijn zingen zelfs stenen en struiken aan het huilen brengen. Hij had beslist een goed functionerende en met energie geladen keelchakra. Maar in extreem negatief opzicht had Hitler dat ook. Met zijn staccato-achtige, in demagogische cadens overslaande stem hypnotiseerde hij miljoenen mensen en hield hen in zijn ban. De harmonieuze ontwikkeling van het keelcentrum is nauw met de ontwikkeling van de hartenergie verweven. Wanneer mijn liefdesvermogen ontwikkeld is, en ik mijzelf aanvaard heb, zal ik anderen niet met mijn uitdrukkingsvermogen onder de voet lopen, maar harmonieus in het levenskoor meezingen. J.R.R. Tolkien beschrijft het in zijn scheppingsverhaal de *Simarillion*.

Blokkades in de keelcentrum uiten zich vaak in de vorm van heesheid ('Ik kan niet zo lang praten, ik word dan almaar heser'). Deze heesheid duidt op gespannen spieren en kan tegelijk een teken zijn van de angst om zich te buiten te gaan. Wanneer iemand gelooft dat hij zich niet juist en gepast kan uitdrukken, zal hij zijn vermogen tot zelfexpressie op de een of andere manier beknotten. Ook keelpijn kan een symptoom van angst zijn. Wat er achter het symptoom schuilgaat, kan achterhaald worden aan de hand van de in andere lichaamsgebieden aanwezige spanningen. Alle krampen in het menselijk lichaam krijgen uiteindelijk van de keelchakra hun bijzondere vorm. Maar veroorzaakt worden ze daar niet! Het keelcentrum structureert louter de uitdrukking van de in de andere chakra's aanwezige blokkades. Aan de hand van het stemregister, het voorkomen van aliquottonen en lage frequenties, de lenigheid van de stem, haar kracht en duur, kunnen blokkades betrouwbaar gediagnostiseerd worden. Voorts kunnen we via het keelcentrum vooral spanningen in de bekkenstreek en kuiten beïnvloeden. Een stijve nek zal me daarentegen waarschijnlijk doen afvragen, waarom ik op dit moment het liefst alleen maar 'recht vooruit' wil kijken. Blokkades in het keelcentrum uiten zich verder vaak in de vorm van groeistoornissen, aangezien de keelchakra in nauwe relatie met de groeiregulerende schildklier staat. Onze manier van groeien is immers eveneens een vorm van zelfexpressie. Reiki-werk aan het keelcentrum kan kinderen helpen lichamelijk en psychisch op harmonieuze wijze groot te worden.

Er bestaat ook een verbinding met de zonnevlechtchakra. Werd de polariteit daar gevormd door spanning tussen machtsaanspraak en machtsontkenning, in de keelchakra betreft ze het onderontwikkelde versus het overontwikkelde vermogen om macht over anderen uit te oefenen.

Bij een hypofunctie van de keelchakra heeft de betrokkene (net als bij een hypofunctie van de zonnevlechtchakra) veel van de spreekwoordelijke 'grauwe muis' en zal men hem waarschijnlijk als 'achterlijk' bestempelen. Hij heeft communicatieproblemen, stottert wellicht, verspreekt zich dikwijls en heeft er een pathologische afkeer van 'zich te laten zien'. Zijn hoofd hangt eerder naar beneden, zijn kin raakt bijna zijn strottehoofd. Bij een hyperfunctie hebben we daarentegen de typische 'machtsmens'. Hij is vaak schor en praat veelal met snijdende, schelle stem; hij ontpopt zich wellicht als een kleine (of grote) demagoog, discussieert om het discussiëren, voert graag strijd, wil de wereld naar zijn voorstellingen kneden en voert daarvoor veel goed doordachte redenen aan. Zijn hoofd is eerder opgeheven, zijn neus steekt 'hoog in de lucht'.

Samenvattende kernspreuk voor een verstoorde keelchakra: 'Hij vindt nooit de juiste toon.'

Voorhoofdschakra

De voorhoofdschakra• is de zetel van onze intuïtie. De intuïtie wordt vaak met het gevoel verward. Intuïtie en gevoel zijn echter gemakkelijk uit elkaar te houden: alles ten aanzien waarvan ik grote afkeer, sterke afschuw of angst voel, en alles wat ik per se wil hebben, alles waarnaar ik begerig ben - dat is gevoel. De neutrale rust daartussen is intuïtie. Wil je je intuïtie ontwikkelen, dan moet je eerst je gevoelens leren begrijpen, zodat je beide, dikwijls vermengd optredende gewaarwordingen (je hebt een intuïtie die bepaalde gevoelens in je losmaakt) werkelijk uit elkaar kunt houden.

Het voorhoofdscentrum wordt ook het 'derde oog' genoemd, omdat daar achter het voorhoofd een lichtgevoelig gebied van de hersenen ligt. De wetenschap vermoedt dat in oudere evolutiestadia een intussen verdwenen orgaan voor het onderscheiden van dag en nacht op die plaats heeft gezeten. Mij trekt die verklaring niet, want met een goed functionerende voorhoofdschakra kunnen mensen tenslotte zelfs helderziend worden, de aura en dergelijke zien; nacht en dag kunnen onze ogen ook onderscheiden. Natuurlijk vertelt dit vermogen op zich nog niets over de ontwikkeling van de andere energiecentra. Helderziend kan men ook worden via de 'weg van macht', die slechts een begrensd en tijdelijk functioneren van buitenzintuiglijke vermogens mogelijk maakt, wat uitsluitend door een systematisch te sterk laden van het voorhoofdscentrum tot stand komt. Op een bepaald moment is het dan 'opgebrand' en de droom van die leuke PSI-krachten uitgedroomd. In de desbetreffende literatuur is genoeg te vinden over 'psychokinese-kunstenaars' in de Sovjetunie, die na enkele jaren psychokinetische krachttoeren met bloedsomloopkwalen in de rolstoel zijn beland.

Ieder mens wordt met potentiële energetische krachten in al zijn chakra's geboren. Hun opwekking geschiedt normaliter harmonieus in overeenstemming met zijn vermogen om de werkelijkheid te accepteren zoals ze is en liefde voor het leven. Een dergelijke natuurlijke ontwikkeling is nochtans geen dwingende voorwaarde voor zogenaamde 'bovennatuurlijke krachten'. Ieder machtsmens kan ze met enig geduld en zelfdiscipline cultiveren. Een heilige en spirituele leraar wordt hij daardoor echter niet. (Let er daarom op wie zich 'aan een goeroe' bindt...)

Daarmee heb ik ook al veel van de in dit centrum te vinden blokkades aangeroerd. Taken en stoornissen liggen hier heel dicht bij elkaar. Ik heb ze daarom veelvuldig samen beschreven. Het 'derde oog' zou de betrokkene zijn zeer persoonlijke weg door de jungle van het leven moeten tonen. Meestal gebeurt dat volgens het vermaarde principe van 'vallen en opstaan': eerst glij je uit over een bananeschil en valt op je achterste, en dan denk je erover na hoe je zulke tegenspoed in de toekomst kunt vermijden. Weg en dwaalweg zijn dikwijls moeilijk te onderscheiden, omdat ieder zich op zijn heel persoonlijke wijze met zijn leertaken moet bezighouden.

Andere blokkades van het voorhoofdscentrum uiten zich als: een doelloos, labiel leven ('Ik weet niet waarom ik eigenlijk leef!'); vervreemding van het werk ('Maakt me niks uit wat ik doe, als ik maar poen krijg!'); angst voor geesten, verschijningen, fantomen enzovoorts (gevolg van een hyperfunctie). Daar in de voorhoofdschakra als deel van het universele inzicht ook ons rationeel inzichtsvermogen gelokaliseerd is, kan bij overmatige analytische inspanningen hoofdpijn optreden, die door de energetische overlading van een deel van deze chakra wordt veroorzaakt. Wordt de reiki-kracht naar beide voeten of gelijktijdig naar beide hoofdhelften geleid, dan is het evenwicht al snel hersteld. Ook het gezichtsvermogen wordt in het voorhoofdscentrum gestructureerd. We kunnen daardoor aan de hand van de kleurwaarneming, bij- of verafziendheid van iemand eveneens een diagnose over de energietoestand van zijn lichaam stellen. Bovendien staat het verkeerd functioneren van op zichzelf gezonde en krachtige organen in relatie met het voorhoofdscentrum. Andere typische blokkadesymptomen zijn: langdurige werkloosheid, voortdurend terugkijken, steeds een andere liefdespartner, steevast volgens de laatste mode gekleed willen zijn, verering van idolen, fanatisme en soortgelijke.

Bij een hypofunctie van de voorhoofdschakra neigt iemand van dit type ertoe een 'stompzinnige arbeider' (niet in de zin van de een of andere klasse!) te zijn, en wel inclusief alle clichés: bierfles en televisie, geen hobby's, geen mening, geen interesses, nergens zin in.

Bij een hyperfunctie heeft hij 'visioenen' ('de krankzinnige profeet'), wil de mensheid voor dreigende catastrofes waarschuwen, ziet geesten, is bang zonder te weten waarom (hyperfunctie van het 'derde oog' bij gelijktijdige blokkade in het seksuele centrum). Een harmonieuze functie van het 'derde oog' bewerkstelligt daarentegen altijd ook een energiestoot uit de wortelchakra (een teken dat men zijn weg gevonden heeft). Vandaar dat bij uitputtingsverschijnselen, matigheid, een slecht herstellingsvermogen enzovoorts ook altijd aan dit verband gedacht moet worden.

Samenvattende kernspreuk voor een verstoorde voorhoofdschakra: 'Hij vindt zijn weg niet.'

Reiki kan er op zachte manier voor zorgen dat we ons voor de ervaringen en leeropgaven van de verschillende zijnsniveaus (chakra's) openen. Door regelmatige reiki-sessies wordt de innerlijke bereidheid bevorderd, die ons in staat stelt de talloze ervaringsmogelijkheden van de beide zijnsniveaus (het materiële en het ideële) aan te grijpen. Het tempo en de aard van de ervaringen zijn voor ieder mens anders. Wezenlijk is dat de chakra's niet uitsluitend afzonderlijk behandeld worden. In elke chakra zijn aspecten van alle andere energiecentra bevat, alle zijn op ontelbare manieren met elkaar verweven. Wanneer we deze holografische opbouw recht doen, doordat we alle chakra's met de reiki-kracht in evenwicht brengen, bevorderen we de harmonieuze integratie van de ervaringen op de desbetreffende zijnsniveaus van de chakra's. Desondanks is het doorgaans zinnig ook bij het chakrawerk met reiki zwaartepunten aan te brengen. Hoe wil ik nu schetsen.

Praktisch chakrawerk met reiki

De chakrabalancering

Met behulp van deze reiki-techniek zijn we in staat iemands fijnstoffelijke energiesysteem in korte tijd te harmoniseren. De methode als zodanig gaat terug op de polariteitstherapie. Aangezien reiki een algeheel balancerend effect sorteert, is het niet noodzakelijk een bepaalde hand op een bepaalde chakra op te leggen, zoals dat bij zuivere polariteitstherapie wel het geval is.

In principe worden de chakra's van buiten naar binnen in balans gebracht, doordat jij als therapeut je handen eerst op het 1e (wortelchakra) en 6e (inzichtschakra) energiecentrum van je cliënt oplegt. Dan wacht je tot je de energie in beide handen gelijkelijk voelt stromen. Heb je er moeite mee iets te voelen, dan wrijf je je handen lichtjes over elkaar. Dat helpt je je bewust op je handen te concentreren. Nadat je de beide buitenste chakra's in evenwicht heb gebracht, doe je hetzelfde met het 2e (seksuele chakra) en het 5e (uitdrukkingschakra) energiecentrum. Ten slotte behandel je nog het 3e (persoonlijkheidschakra) en het 4e (hartchakra) energiecentrum volgens dezelfde methode. Wanneer je denkt dat het gepast is, kun je vanzelfsprekend ook andere combinaties voor het balanceren nemen.

Na de eigenlijke chakrabalancering moet indien mogelijk de aura gladgestreken worden, zodat de vrijkomende energie zich kan verspreiden. Merk je te weinig in je handen, dan houd je elke positie 3 tot 4 minuten vast. Dat volstaat in de meeste gevallen. Uiteraard kun je ook meer tijd voor de chakrabalancering nemen.

Zelf gebruik ik deze techniek dikwijls voor een algehele behandeling en ook ter inleiding op het gerichte reiki-werk, om een gevoelige cliënt te laten ontspannen en een diepgaande bereidheid tot het aannemen van het eropvolgende energiewerk te scheppen.

Na een sessie waarbij veel in beweging is gekomen, kun je met de chakrabalancering op een zeer diep niveau de vrijgekomen energie helpen verdelen en het lichaam ondersteunen bij het verwerken van de in het bewustzijn gekomen inhouden. Zelf behandel ik me 's morgens graag met een chakrabalancering. De dag begint dan veel mooier. Ik voel me fris en in mezelf rustend, wanneer ik dan opsta. De chakrabalancering met reiki stimuleert ons totale fijnstoffelijke systeem tot harmonieuze ontwikkeling. Bij regelmatige toepassing fungeert ze voor het geestelijk-psychische groeiproces als een soort 'turbocompressor'. Energieoverschotten worden verdeeld en ontbrekende levenskracht wordt aangevuld. Indien regelmatig uitgevoerd, bewerkstelligt de chakrabalancering een langzame en harmonieuze opening van de chakra's. Er blijven geen acute energetische onevenwichtigheden bestaan. De capaciteit van elke afzonderlijke chakra wordt, afgestemd op alle andere chakra's, langzaam vergroot.

Je zou je iedere ochtend voor het opstaan een chakrabalancering met de reiki-kracht moeten gunnen. De resultaten zullen je daarin sterken. Ze zijn een ware vriend.

Gericht chakrawerk met reiki

De chakra's kunnen drie mogelijke functiestoornissen of 'verwondingen' vertonen:

- *onmiskenbare defecten (scheuren of vervormingen)*
- *tekortschietende verbinding met het innerlijke energiesysteem op het bronpunt (op de wervelkolom)*
- *verkeerde oriëntering (scheve ligging)*

Met reiki is het vereffenen van deze stoornissen eenvoudig. Wel kan het lang duren voordat een gestoorde chakra weer volledig kan functioneren. Een 'beetje handopleggen' (bovendien nog onregelmatig) kan maar weinig uitrichten.

Onmiskenbare defecten en een verkeerde gerichtheid kun je het best als volgt behandelen: je legt een hand ter hoogte van de chakra aan de voorkant (vrijkomingspunt) op en de andere aan de rugzijde (bronpunt). Bij de wortelchakra, die zich naar beneden opent, leg je de ene hand op het schaam- en de andere op het stuitbeen. Bij deze techniek is het niet alleen toegestaan, maar zelfs noodzakelijk de handen ter hoogte van de chakra op de wervelkolom op te leggen. Dat is bij alle andere reiki-technieken niet aan te raden, aangezien op die manier de kundalini-energie voortijdig opgewekt kan worden. Het vrijkomingspunt van een chakra markeert de schakeling met de buitenwereld (aura) en het bronpunt de schakeling met de binnenwereld (hoofdenergiekanaal aan de kant van de wervelkolom, de directe verbinding tussen de kundalini en de 6e chakra of het 'derde oog').

Doordat er reiki-energie door een verwonde chakra stroomt, wordt zijn oriëntering na verloop van tijd hersteld en scheuren en 'deuken' genezen. Overal waar de universele levensenergie langs- en doorstroomt, verlevendigt ze het beschadigde fijnstoffelijke orgaan, zodat het zijn natuurlijke functie weer kan oppakken.

Een eenzijdige reiki-behandeling volstaat daartoe slechts zelden, want een defect in de chakra belemmert het stromen van energie en dientengevolge kunnen niet alle delen van het energiecentrum tegelijkertijd geharmoniseerd worden. Maar dat is juist belangrijk, omdat elk deel van de chakra permanent aan alle andere gekoppeld is. Een gedeeltelijke genezing zal al snel door stoornissen in andere delen van het energiecentrum te niet worden gedaan.

Het toepassen van de techniek voor mentale genezing, behorende bij de 2e reiki-graad, voor het gerichte chakrawerk kan het genezingsproces krachtig versnellen en verdiepen.

Na gericht reiki-werk aan de chakra's moet altijd een chakrabalancering uitgevoerd worden. De chakra heeft door de genezing namelijk een andere energetische lading gekregen. Aangezien alle chakra's qua lading op elkaar afgesteld zijn, kan de nog niet veranderde lading van de andere chakra's al gauw tot een nieuwe onevenwichtigheid in het net behandelde energiecentrum leiden. Worden de chakra's met behulp van de reiki-kracht echter in evenwicht gebracht, dan kan dat probleem zich niet meer voordoen. Daarna zou je ter afsluiting de aura glad moeten strijken, om de vrijgekomen energie aan het stromen te brengen. De aura kan zich dan gemakkelijker van de gifstoffen ontdoen.

Een gebrekkige verbinding van een chakra met het innerlijke energiesysteem kun je herstellen door de reiki-kracht eerst aan de rugzijde in de geblokkeerde positie te laten stromen. Je laat je cliënt de reiki-kracht 2 tot 3 minuten lang naar binnen trekken en gaat dan verder met de bovenbeschreven techniek. Deze procedure kan enkele keren herhaald worden. Ook in dit geval sluit je de behandeling met de chakrabalancering en het gladstrijken van de aura af. Wanneer je het gevoel hebt dat de aura meer dan drie keer gladgestreken moet worden, herhaal je de procedure net zo lang tot je voor je gevoel met het resultaat tevreden bent.

De chakrabalancering met drie personen

Deze oefening is uitstekend geschikt voor korte behandelingen waarbij op zachte wijze aan fundamentele blokkades gewerkt moet worden, alsmede ter voorbereiding op gericht chakrawerk, voor snelle ontspanning en 'gewoon voor de lol' - omdat het leuk is.

Afb. 31: De chakrabalancering met drie personen

De te behandelen persoon gaat op zijn rug liggen en legt een hand op zijn zonnevlecht en de andere op zijn hartcentrum. Optimaal zou zijn als hij eveneens op de reiki-kracht afgestemd is, maar zonder dat gaat het ook. De plaatsing van de handen is alleen belangrijk, wanneer hij niet afgestemd is: de linkerhand moet dan beslist op het hartcentrum rusten en de rechter op het zonnevlechtcentrum. De beide 'therapeuten' zitten rechts en links naast hem. De een legt zijn handen op het wortel- en het voorhoofdscentrum, de ander balanceert het seksuele en het keelcentrum. Op deze manier worden gelijktijdig alle chakra's in evenwicht gebracht. Door de rustige aard van deze methode (er wordt niet van positie gewisseld) kan er ook gemakkelijker een diepe ontspanning bereikt worden dan met de algehele behandeling. Aan de andere kant worden de organen merendeels alleen indirect aangesproken. Deze vorm van chakrabalancering is zodoende geschikter voor ontspanning, verwerking van chronische blokkades, algemene versterking en kalmering. Voor en na de sessie is het nuttig de aura glad te strijken. Ter afsluiting geef je ook de energieveeg om de geharmoniseerde chakra's met de aarde-energie in verbinding te brengen.

Let alsjeblieft op: na alle toestanden van diepe ontspanning moet je langzaam weer recht op gaan zitten en de tijd nemen om in de werkelijkheid van alledag terug te keren.

Gericht reiki-werk aan hoofd- en bijchakra's

In geval van problemen met bepaalde bijchakra's kun je de beste resultaten behalen, wanneer je die secundaire chakra in evenwicht brengt in samenhang met de ermee corresponderende of een andere, je geschikt lijkende primaire chakra.

Blijkt er na enkele sessies (minstens tien dagelijkse of hoogstens met een dag ertussen) geen verbetering, dan kunnen dezelfde methoden toegepast worden als welke ik voor de genezing van hoofdchakra's gegeven heb. Daarna moet de bijchakra met de corresponderende hoofdchakra geharmoniseerd worden en ter afsluiting heeft een balancering van de primaire chakra's nut.

Succesvol reiki-werk aan de chakra's vraagt om regelmatige en vele sessies. De ingeleide genezings- en groeiprocessen gaan heel diep. De cliënt zou daarom gedurende de totale periode van behandeling zo rustig en harmonieus mogelijk moeten leven. Eventjes 'zo ertussendoor' kunnen verstoorde chakra's ook met reiki niet worden 'recht gezet'. Vaak dient de behandeling met homeopathische of psychotherapeutische technieken te worden aangevuld.

Naar mijn ervaring genezen de chakra's het snelst, wanneer hun behandeling reiki, middelen uit de natuurgeneeswijze en psychotherapeutische technieken omvat en tot een holistische werkzaamheid integreert. Leken mogen evenwel geen medicijnen voorschrijven, noch voor de vuist weg wat 'ronddokteren'. Daarvoor zijn tenslotte genoeg vakmensen. Pendelbladen voor de analyse van stoornissen in het energiesysteem vind je in de appendix.

Samenvatting:
Chakrawerk met reiki

Voor en onder het chakrawerk met reiki dien je je rekenschap te geven van de volgende vragen:

Op welk niveau heeft de storing haar wortel? (Bij ernstige lichamelijke of psychische problemen moet principieel een arts of geneeskundige geraadpleegd worden.)

Welke primaire en/of secundaire chakra's zijn erbij betrokken?

Hoe moet het reiki-werk voor het neutraliseren van de storingen er gedetailleerd uitzien? (Wijze, duur en frequentie van de behandeling bepalen)

Moeten er andere methoden in de behandeling betrokken worden? Zo ja, welke dan? Ben je daarvoor bevoegd? Zo niet, aan welke therapeut kun je dan de verantwoordelijkheid voor je cliënt overdragen?

Vermoed je karmische samenhangen of fixaties (reiki-werk aan de zonnevlecht), dan moet de algehele reiki-behandeling altijd gepaard gaan met psychologische therapie. Pas wanneer de karmische belasting met haar fixaties opgelost is, kan een diepergaand genezingsproces beginnen, die de betrokkene tegelijkertijd laat groeien. Daaruit resulteren dan heel natuurlijk hoger liefdesvermogen en bewustzijn.

Ter verklaring: onder fixaties versta ik hier meningen a priori (dogma's), die vastleggen hoe 'de wereld en de mensen nu eenmaal behoren te zijn' (of 'niet zijn mogen'), opdat 'alles geordend is'. Zulke fixaties komen vaak tot uiting in starre ethische opvattingen. Mensen kunnen op den duur hun leven niet aan zulke voorstellingen laten beantwoorden. Wijken ze ervan af en beseffen ze dan niet hoe schadelijk hun geloofsbelijdenis is, dan ontstaan er karmische belastingen, namelijk schuldcomplexen, die hun beletten liefde als de eigenlijke basis van hun leven te erkennen en te aanvaarden. Schuld gaat altijd met angst gepaard, met liefde heeft ze niets te maken, ja sluit ze zelfs uit. Daar God liefde is, verhindert een schuldgedachte de betrokkene nader tot God (liefde) te komen.

Hoofdstuk 9

REIKI EN KRISTALLEN

Sedert de oertijd al helpen kristallen de mens bij genezende behandelingen, magische rituelen ter bescherming en inwijdingen van allerlei aard. Hun schoonheid en heel unieke lichtuitstraling zijn tegenwoordig, bij het begin van 'het nieuwe tijdperk', weer populair geworden. Veel mensen nemen hun hulp aan en leren van ze hoe ze zich op de nieuwe vibraties van het nu aanbrekende Watermantijdperk moeten afstemmen. De edele stenen kunnen ons ook bij het reiki-werk waardevol hulp bieden. Wie daarin geïnteresseerd is, vindt gemakkelijk legio boeken daarover. Ik wil daarom in dit hoofdstuk alleen op enkele gemakkelijke maar niettemin zeer effectieve toepassingen ingaan, die zich uit mijn werkzaamheden met reiki en kristallen ontwikkeld hebben.

Reiki zwengelt vele levensprocessen aan. Angsten en tot dan verborgen delen van de persoonlijkheid, die ter bevordering van de geestelijk-psychische groei nog geaccepteerd moeten worden, komen in het bewustzijn. Er ontstaat een vervelende psychische situatie: de oude wegen schijnen zinloos, maar nieuwe wegen dienen zich nog niet aan. Veel blokkades zijn bijzonder hardnekkig en de angst voor op de bewustzijnsdrempel staande inhouden kan tot pijnlijke verkramping leiden. Er kan enige tijd sprake zijn van nachtmerries. Hier kunnen onze prachtige vrienden uit het rijk der mineralen waardevolle hulp bieden.

Naar mijn bevindingen bij reiki-sessies en -seminaries zijn drie kristalsoorten (amethist, bergkristal en rozekwarts) in het bijzonder geschikt voor het reiki-werk. Hun mogelijkheden lopen sterk uiteen. Ze vullen elkaar prachtig aan en kunnen de reiki-kracht voortreffelijk bevorderen. Ik wil je deze suggesties niet onthouden.

Bergkristallen tonen de waarheid van het licht. Rozekwartsen wekken de resonantie van hun vibratie van de liefdesenergie in ons op en helpen ons aldus de waarheid van het licht aan te nemen. Amethisten activeren met hun energie het 'derde oog' en tonen ons daardoor onze heel persoonlijke weg om de waarheid van het licht in ons leven en op onze wijze te verwerkelijken.

Bergkristal

Deze heldere kwarts representeert de hoogste evolutiegraad in het rijk der mineralen. Geen enkel kristal is precies hetzelfde, al zijn de kristallen vaak in families met een gemeenschappelijke basis (geode) gegroeid. Zijn zes zijden staan in relatie met de zes chakra's van de mens en zijn punt correspondeert met ons transformatiecentrum, de 7e chakra (kruincentrum). Aan zijn basis is het dikwijls troebel, terwijl het naar boven toe helderder wordt. Gelijk als wij mensen groeit het uit de grofstoffelijke wereld naar de fijnstoffelijke toe, in welk proces het almaar helderder en lichter wordt. Zijn vermogen om helder, d.i. doorlatend voor alle vibraties te zijn, kan de mens helpen bij het wegnemen van de blokkades die hem in zijn 'licht-zijn' belemmeren, wanneer hij de vibraties van een krachtig bergkristal op zich laat inwerken.

Bij mijn werk gebruik ik drie verschillende vormen van deze 'lichtbrengers', die elk hun heel bepaalde taak vervullen: een kleine geode met twee grotere en een kleinere straal (doorsnede aan de basis ca. 3 cm, hoogte ca. 6 cm); een ongeveer 10 cm lang enkelvoudig kristal; en twee in de trommel geslepen, eivormige kristallen met een diameter van ca. 3,5 cm. Deze afmetingen zijn uiteraard slechts benaderingen. Kies die bij het doel van je toepassing passende stenen uit, tot welke je je intuïtief aangetrokken voelt.

In de loop van een regelmatige behandeling met de reiki-kracht zullen in je bewustzijn delen van jezelf omhoogkomen die je slechts moeilijk kunt aannemen. Tegelijkertijd word je gevoeliger en moet je leren je enerzijds voor nieuwe ervaringen te open en je anderzijds ook af te sluiten, wanneer je door te veel of te drukkende nieuwe ervaringen overstelpt wordt. Deze leerprocessen weerspiegelen zich niet alleen in je dromen, maar ook in je relatie met de wereld. Opdat je niet

Afb. 32: Bergkristalgeode

Afb. 33 a: Meditatie: variant A

door de nieuwe levendigheid en haar door de verandering teweegge-brachte druk overweldigd wordt, kun je de hulp van bergkristallen inroepen. Ze zullen de ontwikkeling opvangen.

Een kleine geode kan bij nachtmerries wonderen verrichten. Zet ze daartoe eenvoudig aan het hoofdeinde naast je bed en maak ze elke twee tot drie dagen schoon (hoe: zie de appendix).

Kom je thuis of op het werk in aanraking met mensen wier aanwe-zigheid je bedrukt, van wie je dus bij voorbeeld agressief, droefgees-tig of moe wordt, leg de geode dan ergens zo in je buurt, dat ze steeds bij je is. Ze zal licht in je grauwe dagelijkse leven brengen. Die taak is echter ook voor haar zeer inspannend. Je moet ze dan ook geregeld schoonmaken. Wil je je graag bij de geode voor haar werk bedanken, behandel ze dan enige tijd met de reiki-kracht.

Heb je het gevoel dat de leersituatie met haar vele nieuwe ervarin-gen te veel van je vergt en gespannen maakt, dan kun je twee varian-ten van de in hoofdstuk 11 beschreven reiki-meditatie beoefenen. Die technieken zullen je helpen angsten en blokkades los te laten.

Reiki-meditatie met bergkristallen

Variant A

Ga op je rug liggen, trek je benen op en laat ze zijwaarts neerklap-pen. Druk dan de voetzolen tegen elkaar, liefst zo vlak mogelijk. Ten slotte vouw je nog je handen ter hoogte van je hart in een gebedsge-baar, terwijl je er een rondgeslepen, niet te klein bergkristal tussen houdt. In plaats van liggend kun je deze oefening ook zittend met je rug tegen een muur of leuning doen.

Door de bijchakra's in je handpalmen wordt de energie van het kristal opgenomen en ze vindt zo via hun reflexzones in heel je li-chaam toegang. Heb je zijn licht dringend nodig, dan zal de 'licht-brenger' al na korte tijd zeer warm aanvoelen. Je hoeft daar niet van te schrikken. Het is een heel normale reactie op de grote hoeveelheid vrijkomende energie. Behalve de werkzaamheid van het kristal geleid je zelf, evenals bij een algehele behandeling, reiki-energie via de re-flexzones en acupunctuurpunten naar je handen. Dank zij de zuive-rende, blokkades wegnemende werkzaamheid van het bergkristal kun je bij deze gecombineerde methode gemakkelijker reiki in je laten stromen. Richt gedurende de oefening je aandacht op je handen, let op de zich verspreidende energie en merk op welke reacties ze in je lichaam oproept. Indien je wilt, kun je de werking van deze techniek nog combineren met de krachtige mantra 'om' (zie daarvoor hoofdstuk 11).

Variant B

Je neemt dezelfde houding in als boven, maar nu leg je bovendien je armen in een hoek van ongeveer 45 van je bovenlichaam weggestrekt naast je lichaam op de vloer. De handpalmen liggen naar bo-

Afb. 33 b: Meditatie: variant B

ven. Op elke palm ligt een rondgeslepen bergkristal. Let op je handen, op je lichaam. Neem de energieën waar en word je er bewust van. Variant B is behalve heel geschikt voor afstemming op een algehele behandeling, ook als meditatie zeer effectief. In plaats van liggend kun je deze oefening ook zittend met je rug tegen een muur of leuning doen.

Deze oefeningen zijn geweldig intensief. Dientengevolge hebben de erbij gebruikte kristallen na enkele dagen een rustpauze nodig en moeten ze grondig schoongemaakt worden. Bemerk je sterke, plaatselijke blokkades (bij voorbeeld verkrampte schouders of angstgevoelens in de plexus solaris), dan kun je zelf of samen met een partner een lang enkelvoudig bergkristal gebruiken om ze weg te nemen. Ga daartoe met de punt van de 'lichtbrenger' over de blokkade en beweeg het kristal dan naar rechts draaiend in een spiraal langzaam naar boven. Deze procedure kun je naar behoefte enkele keren herhalen. Vaak is het nuttig tussendoor krachtig over de geblokkeerde zone te blazen, om de in het binnenste van de aura vrijgekomen energie weg te ruimen. Is de blokkade weggenomen of merkbaar zwakker geworden, dan kun je met de normale reiki-behandeling verdergaan. Nadien dienen de voeten minstens 5 minuten behandeld en de aura gladgestreken te worden.

De methode heeft zich ook bij kramptoestanden bewezen, die dikwijls bij gerichte reiki-behandelingen (zie daarvoor hoofdstuk 6) op-

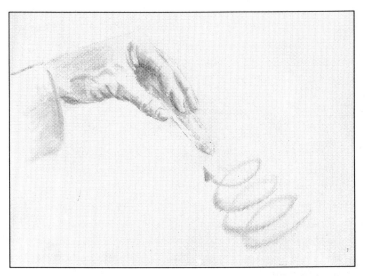

Afb. 34: Het wegnemen van blokkade's met een bergkristalpunt

treden: een cliënte kreeg in verband met haar pijnlijke menstruatie reiki in haar bekkenstreek. Na korte tijd werden de krampen erger, terwijl ze ook niet door reiki-behandeling van de omringende lichaamsgebieden weg te halen waren. (Hier werd de fout gemaakt het gerichte reiki-werk niet met een algehele behandeling gepaard te laten gaan!) Na het erbij halen van een bergkristal en toepassing van bovenbeschreven techniek verdwenen de krampen vervolgens heel snel, waarna ze bij volgende behandelingen slechts zelden en veel zwakker voorkwamen.

Andere toepassingen van deze techniek (aangevuld met aansluitend reiki-werk) zijn:

• littekenstoringen (eventueel aanvullend door een geneeskundige onderhuids laten injecteren of homeopathisch laten behandelen)

• gerichte behandeling van organen en lymfklieren

• genezing van beschadigde chakra's (gepaard gaand met andere maatregelen, die in hoofdstuk 6 en 8 worden beschreven)

• wondbehandelingen (ter aanvulling van andere maatregelen)

• psychisch 'ontspannen' van mensen die heel moeilijk kunnen 'loslaten' (daarvoor geef je hun gedurende een reiki-sessie rondgeslepen bergkristallen in de handen of legt de geneeskrachtige stenen, uiteraard alleen met toestemming van de behandelde, een zekere tijd op die plaatsen welke geen levensenergie in zich binnen willen laten).

Rozekwarts

Deze steen behoort eveneens tot de kwartsfamilie. Bij het reiki-werk gebruik ik rondgeslepen rozekwartsen met een doorsnede van ongeveer 4 cm. Hun warme, rozekleurige vibratie correspondeert met de liefdevolle kwaliteit van de hartchakra. Alle ingrijpende genezingen voltrekken zich dank zij de energie van dit centrum. Het roze licht van rozekwarts herinnert de in blokkades vastgehouden energie eraan dat er ook voor haar aanvaarding, ja liefde bestaat en brengt ze op die manier naar de oppervlakte van het bewustzijn. Om die reden kunnen we bij de ingrijpende eliminatie en genezing van organische en psychische wonden uitstekend gebruik maken van rozekwartsen samen met bergkristallen.

Rozekwartsen kunnen ervaringen van scheiding en de daardoor veroorzaakte trauma's genezen, omdat ze deze plotseling in een andere, liefdevollere samenhang laten zien. We schreien onze beste tranen, wanneer we de liefde in ons bewustzijn toelaten. Deze tranen zijn dan het zichtbare teken van de ervaring van het 'één-zijn', dat plots uit de geïsoleerdheid van je 'gescheiden-zijn' van de liefde naar boven komt. Terwijl bergkristal je door zijn vibraties bijstaat in een proces van bewustwording naar de doorbraak van je 'één-zijn', schenkt rozekwarts je het vermogen om de teruggevonden delen vol liefde aan te nemen en in je persoonlijkheid te integreren. Het is als in het bijbelverhaal 'De terugkeer van de verloren zoon'.

Rozekwarts gebruik ik bij mensen die vaak laten blijken hoe moeilijk alles hen afgaat en die, misschien met een luide zucht, vertellen dat ze graag heel wat anders zouden willen doen ('Het zou mooi zijn als... maar dat kan ik toch niet!' 'Wat zou er van me terechtkomen, als ik...!' 'Als iedereen dat nou toch zou doen!') Dit soort uitingen geeft aan dat de betrokkene bepaalde verborgen delen van zijn persoonlijkheid wel al kan waarnemen, maar ze nog niet door liefdevol aanvaarden vrij kan maken en ze dus ook niet harmonieus in zijn totale persoonlijkheid kan integreren.

Maar ook andere mensen hebben de vibraties van rozekwarts nodig: dogmatici; mensen die hun gezonde seksualiteit of agressie, hun lichaam en bepaalde wensen afwijzen; mensen die andere mensen veroordelen alleen maar omdat de laatsten er andere ideeën op na houden dan zij zelf. Wanneer je voor of gedurende de algehele reiki-behandeling rozekwarts op de hartchakra legt en/of op chakra's waarvan de eigenschappen je cliënt onbewust verdringt, zullen deze stenen helpen de vrijkomende energie aan te nemen.

Treden er gedurende of na een reiki-sessie angstgevoelens op, laat je cliënt dan een rozekwarts in een of beide handen vasthouden. Dat zal hem helpen zich met zichzelf te verzoenen. Ook na intensief gericht reiki-werk (bij voorbeeld aan de chakra's) moeten een of meer rozekwartsen altijd ter afsluiting opgelegd worden, wanneer een mentale behandeling met de technieken van de 2e reiki-graad om de een of andere reden niet mogelijk is.

Worden bij de in het begin van dit hoofdstuk beschreven meditaties rozekwartsen in plaats van bergkristallen gebruikt, dan steunen ze je erin jezelf en anderen met alle goede en slechte facetten te aanvaarden, zodat je niet langer door hulpeloze woede over de 'onvolmaaktheid van de wereld' wordt verteerd. In plaats van de mantra 'om' hardop of in stilte te reciteren, kun je ook met bevestigingen werken. Zoiets als: 'Ik aanvaard mijzelf zoals ik ben!' Of: 'God houdt van mij zoals ik ben!'

Heb je het gevoel dat deze oefening misschien te veel in je zal losmaken, vraag dan iemand die je vertrouwt of hij gedurende de meditatie in je buurt wil blijven. Ben je bang voor deze oefening, werk er dan niet mee, maar verhelder eerst je weerzin met de hulp van een deskundige psychotherapeut. De zin van de oefening is vervuld, wanneer je feitelijk bewust wordt van je weerzin om bepaalde delen van jezelf te aanvaarden. Wanneer je eenmaal geleerd hebt van jezelf te houden, biedt deze meditatie je een prachtige gelegenheid om je in de roze liefdesvibraties te baden en eenvoudig goed te voelen. Ik doe dat vaak wanneer ik met alledaagse problemen en de chaos in mezelf en bij anderen geconfronteerd ben geweest, zodat ik me bewust kan worden van de andere, aanvaardende zijde van de werkelijkheid.

Amethist

Dit violette kristal leert deemoed. Het bezit het vermogen om het 'derde oog' te stimuleren. Het helpt ons aldus onze persoonlijke weg in te zien en te aanvaarden. Met deze steen komt mijn eenvoudige systeem van de drie kristallen tot zijn natuurlijke afsluiting, want met de hulp van amethist kunnen we leren ons Zelf in het kader van de wereldorde te verwerkelijken. Voor iedereen is er deze weg, je hoeft hem alleen maar te aanvaarden en te volgen. Maar meestal is dat makkelijker gezegd dan gedaan.

Amethist laat je zien hoe je je nieuwe zelfinzicht harmonieus in het leven van alledag kunt integreren. Gedurende het regelmatige reikiwerk komen er steeds weer situaties voor waarin je op dat probleem stuit. Je weet niet hoe je je nieuwe, gegroeide Zelf in je werk, je familieleven, je vriendenkring moet ontplooien, zonder de structuren waarvan je bent gaan houden te schaden of andere mensen voor de kop te stoten of bang te maken.

Voor het reiki-werk gebruik ik rondgeslepen amethisten met een doorsnede van ongeveer 4 cm. Wanneer je een beroep op de hulp van amethist wilt doen, kun je de in het begin van dit hoofdstuk beschreven meditatiehouding van variant A (liggend) aannemen. Dan leg je een amethist op je 'derde oog' en laat uit je linkerhand de reiki-kracht in je hartchakra stromen en uit je rechterhand de reiki-kracht in je zonnevlechtchakra.

Afb. 35: Meditatie met een amethist

Enerzijds stimuleren deze posities je 'derde oog', anderzijds zorgen ze er echter ook voor dat het niet 'overladen' raakt, maar door de energieën van het hart- en het zonnevlechtcentrum in balans wordt gebracht. Het gaat dus om een methode van chakrabalancering. Wanneer je dan door de stimulering van je 'derde oog' je individuele weg duidelijker voor je ziet, komen er in de zonnevlecht vaak angsten los. Aangezien dit centrum evenwel op zijn beurt voortdurend met de liefdevolle energie van de hartchakra in evenwicht wordt gebracht, nemen de angsten hun passende plaats als belangrijke waarschuwingssignalen en niet als tirannen in. Zo worden angstaanvallen vermeden of sterk getemperd.

Gelegd op een orgaan dat ten gevolge van een functiestoornis langere tijd met reiki behandeld wordt, moedigt de amethist het ertoe aan met zijn functie zijn gepaste plaats in de stofwisseling in te nemen. Zo kan de steen bij hyperfunctie van klieren als begeleidende maatregel ingeschakeld worden. Steeds wanneer organen wel kracht bezitten, maar merkbaar is dat deze kracht geen zinnige uitdrukking vindt, is het werken met amethist aan te raden. Daarnaast kun je het kristal bij de volgende symptomen gebruiken: hoge bloeddruk, woedeaanvallen, nymfomanie en hysterische toestanden van allerlei aard.

Bij algehele reiki-behandelingen gebruik ik deze 'steen van inzicht' dikwijls plaatselijk of leg hem op het 'derde oog' op, om mijn cliënt in staat te stellen de toegevoerde levensenergie zinnig te verbruiken en angsten te voorkomen. Wanneer je hem 's avonds na een reiki-sessie ongeveer een kwartier op je 'derde oog' oplegt, zal hij je helpen de nieuwe levendigheid harmonieus in de gerijpte levensstructuren te integreren.

Samenvatting:
Reiki en kristallen

Amethist (6e chakra)
Leertaak: de eigen persoonlijkheid in de universele samenhang verwerkelijken
Energiesituatie: niet zinnig benut
Symptoom: hyperfuncties van allerlei aard; ontstekingen; hoge bloeddruk; hyperfunctie van klieren; hysterie

Rozekwarts (4e chakra)
Leertaak: aanvaarden
Energiesituatie: niet als mogelijkheid aanvaard
Symptoom: afscheidingen van allerlei aard; kanker, cysten, verkramping, schizoïde symptomen

Bergkristal (2e chakra)
Leertaak: waarnemen
Energiesituatie: niet waargenomen
Symptoom: hypofuncties van allerlei aard; bloodsomloopstoornissen; hypofunctie van klieren; depressies

Hoofdstuk 10

REIKI EN GEUREN

De aromatherapie, de genezing met edele geuren dus, maakt de laatste jaren een reusachtige bloei door. Nog geen tien jaar geleden gebruikte men etherische oliën nagenoeg uitsluitend voor de vervaardiging van parfum. Hun gebruik was min of meer tot de schoonheidsverzorging beperkt en er daardoor toe bestemd ons uiterlijk aantrekkelijker te maken. Tegenwoordig ligt het anders. Etherische oliën worden nu ook veelvuldig ter stimulering van psychische groeiprocessen en ook voor genezingsdoeleinden ingezet.

De reukstoffen van etherische oliën oefenen enerzijds organisch invloed uit door middel van bepaalde, typische werkzame stoffen, en anderzijds vormen ze veelvermogende, fijnstoffelijke vibratiepatronen, die een heilzaam effect op het innerlijke energiesysteem en de aura van de mens kunnen sorteren.

Zelf heb ik de werkzaamheid van deze essences voor 't eerst ervaren tijdens een reeks metamorfose-sessies met een bevriende therapeute. Zij gebruikte verschillende reukoliën om mijn chakra's te harmoniseren, voordat zij met mij aan een sessie begon. Daardoor kwam ik op het idee om geuren ook bij reiki-sessies toe te passen.

Goede ervaringen heb ik met een klein systeem van elkaar aanvullende essences opgedaan. Het werkt prachtig en heeft het voordeel dat het overzichtelijk is. Wanneer je het als zinnige ondersteuning van je reiki-werk praktisch wilt gebruiken, hoef je niet meteen ook een expert in aromatherapie te zijn. De volgende etherische oliën worden erin gebruikt: muskadel-salie, patchouli, lavendel, ijzerhard en sandelhout.

Afb. 36: Verschillende etherische oliën

Muskadel-salie

Deze sterk prikkelende geur werkt inzonderheid op het 'derde oog' in. Hij opent de geest voor nieuwe ruimten van ervaring, doordat hij een vermoeden van het prachtige zinnelijke genot van een levendig leven overbrengt. Voorbij het verstandsniveau spreekt hij de nieuwsgierigheid, het kind in je aan, dat in verwondering de wereld beziet.

Bij reiki-werk gebruik ik muskadel-salie om op zachte wijze geblokkeerde hoofd- en bijchakra's te openen. Muskadel-salie toont je op een onderbewust, zuiver gevoelsmatig niveau hoe prachtig het zou zijn deze nieuwe ruimte te verkennen. Daarmee activeert de geur de bereidheid tot het doorbreken van zelfopgelegde grenzen. Hij schenkt ons een dosis moed. Door zijn basiseigenschap van het zacht, rustig en tegelijk vreugdevol vrijmaken van 'vastgehouden energieën' heeft hij tevens een ontspannende en losser makende werking.

Patchouli

Een zinnelijke, erotische geur. Hij werkt vooral op de seksuele chakra in en verhoogt de zinnelijke gewaarwording en levenslust. Waardering voor de zinnelijke aspecten van het leven kan helpen de in een geblokkeerde bekkenregio vastgehouden energieën los te laten. De patchouli-essence is 'gerijpter' dan muskadel-salie, aangezien ze ons op alle zijnsniveaus voor zinnelijk genot opent en ons ontvankelijk maakt voor muziek, kunst, erotiek en de vreugde van natuurbeleving. Muskadel-salie heeft eerder een haast naïef kinderlijke openheid. De openheid van patchoeli-essence weet daarentegen reeds voor welke bijzondere ervaringen ze zich wil openen: de zinnelijke, vreugdevolle ontmoeting met de wereld en andere mensen.

Bij reiki-werk kun je patchoeli gebruiken om de energiestroom in de bekkenstreek te herstellen en om het 'eelt' (in letterlijke en figuurlijke zin), de zelfgeschapen barricades tegen de zinnelijke ontmoeting met de werkelijkheid af te breken. Daartoe behoren ook allerlei angsten voor intimiteit en nabijheid, allergieën, een vieze huid, eigenlijk alles waar iemand zijn toevlucht toe genomen heeft om zijn leven niet zinnelijk te hoeven ervaren. Patchouli kan bij alle hoofd- en bijchakra's die voor zinnelijke waarneming gesloten zijn, voor het herstel van deze functie gebruikt worden. Wie een hekel aan de patchouligeur heeft, maar toch van zijn effecten wil profiteren, kan het met ylang-ylang proberen, want ylang-ylang heeft soortgelijke eigenschappen als patchouli.

Lavendel

Deze 'gedistingeerd gereserveerde' geur heeft zich vooral bewezen bij mensen met een te dunne huid, die zich al aan het minste geringste ergeren en zich door lichte scherts al diep geraakt voelen en aan een stuk door over de grofheid van hun medemensen klagen. Maar lavendelolie helpt ook degenen die innerlijk zo diep gekwetst en gevoelig zijn, dat ze niet eens meer over hun wonden kunnen klagen. Zulke symptomen zijn op een verzwakte aura terug te voeren. Normaliter beschermt de aura als een energetisch schild het innerlijke energiesysteem tegen te sterke prikkels. Zitten er grote barsten in of stroomt hij niet goed, dan dringen er veel impulsen ongefilterd tot de chakra's door en belasten deze te zwaar. Ieder contact met de omgeving wordt als een meer of minder sterke verwonding gevoeld. Vaak leren zodanig verzwakte mensen zich bepaalde gewoonten aan om hun van angst bevende, zo kwetsbare Zelf te beschermen. Zij hebben slechts met een paar uitgekozen mensen contact en proberen zelfs dan nog met hen alleen te zijn, zodat niemand anders het kan verstoren. Zij doen hun boodschappen liever in de winkel om de hoek, omdat zij de eigenaar kennen. En in de vakantie gaan zij naar het familiepension op de Veluwe, waar zij al jaren komen.

Wil je zulke verzwakte mensen met de reiki-kracht behandelen, dan moet je ze aanvankelijk de door hen dringend gewenste bescherming toestaan. Lavendelolie kan daarbij waardevolle hulp bieden. Zoek uit wat de gevoeligste chakra/chakra's is/zijn en gebruik het daar. Natuurlijk heb ik de symptomen van gevoeligheid boven enigszins overtrokken beschreven. In werkelijkheid hoeven ze op het eerste gezicht qua verschijning niet zo clichématig te zijn. De beschrijving van het extreme geval kan je niettemin helpen soortgelijke toestanden in het klein beter te herkennen en te begrijpen.

Lavendel kan heel nuttig zijn, wanneer gedurende langer reiki-werk door het afbreken van blokkades vele nieuwe dingen waargenomen en alle indrukken bij elkaar breder en krachtiger gevoeld worden. Dan is 'de huid te dun' en heeft de betrokkene bescherming nodig, zodat hij in alle rust zijn energiestructuur en persoonlijkheid kan opbouwen en sterk genoeg kan maken om de nieuwe levendigheid te schragen. Lavendelessence kan die ontwikkeling bevorderen, doordat ze de energie in het wortel- en het zonnevlechtcentrum versterkt.

Hetzelfde geldt voor gericht reiki-werk en het elimineren van chakra- en aurablokkades. Na een ingrijpende eliminatie van zulke blokkades dienen we de chakra's en de aura langere tijd te beschermen. Laten we dat na, dan kan er zeer snel en misschien zelfs nog ergere schade aangericht worden. Blokkades en angsten zijn niet volkomen zinloos en nutteloos. Ze hebben altijd ook een waardevolle en belangrijke beschermende functie. We mogen dat feit bij hun eliminatie nooit uit het oog verliezen.

IJzerhard

Deze geur verfrist en geeft kracht. Met zijn frisheid helpt hij ons ons van achterhaalde gedragswijzen en denkpatronen te ontdoen en nieuwe, levendige aan te nemen. IJzerhard is heel geschikt, wanneer blokkades bewust gemaakt zijn en alle voorbereidingen zijn getroffen om ze definitief los te laten. Misschien ontbreekt alleen de kracht ertoe nog. Dat schept onzekerheid. Het is veel gemakkelijker op krukken te steunen dan te riskeren dat je op functionerende maar nog al te zwakke benen aan het struikelen raakt. Dat beeld kan in reiki-werk worden vertaald. Het wil je zeggen: let erop dat je cliënt over voldoende krachtreserves beschikt om zich op zijn nieuwe leven in te stellen en de losgemaakte blokkades definitief te elimineren, wanneer je met de behandeling (die immers eveneens kracht vergt) de functie van zijn organen en zijn energiesysteem hersteld hebt. IJzerhard werkt hoofdzakelijk op de wortelchakra in, en wel in verbinding met een opening van het 'derde oog'. Het is daarom zinnig na de zuivering en gedeeltelijke opening ijzerhard plaatselijk te gebruiken voor het versterken van een chakra. Want versterking is tegelijkertijd ook bescherming.

Sandelhout

Deze essence kan op bepaalde wijze de functie van de liefdevolle, warmhartige moeder waarnemen. Het kalmerende energiepatroon ervan wekt gevoelens van tussenmenselijke warmte, geaccepteerd worden, openheid en begrip op.

Bij het reiki-werk kun je met deze geur eraan bijdragen dat de sessie van het begin af in een mooie atmosfeer plaatsvindt. Je cliënt zal dan eerder de moed hebben om zich aan de reiki-kracht over te geven en eenvoudig 'los te laten'. Sandelhoutolie wekt bovendien vertrouwen, en dat vertrouwen mag je met je gedrag niet beschamen, integendeel. Verder kun je sandelhout bij intensief gericht reiki-werk gebruiken, bij voorbeeld wanneer je de chakra's behandelt of een 'spierpantser' doorbreekt. Sandelhout schenkt echter niet alleen vertrouwen, maar verbetert ook de verstandhouding. Onder invloed van etherische sandelhoutgeur schiet niemand iets zo gauw 'in het verkeerde keelgat'.

De praktische toepassing van de oliën

Voor plaatselijke toepassing kun je de olie (let alsjeblieft op de kwaliteit ervan, synthetische oliën kunnen onder bepaalde condities zelfs ziekte verwekken!) in de verhouding 1:20 met zoete amandelolie vermengen. Wanneer je het mengsel daarna tien keer krachtig schudt, heb je het ook nog eens op homeopathische wijze gepotentieerd. Het zal dan nog krachtiger, ingrijpender en tegelijkertijd zachter werken. Plaatselijk kunnen deze oliën bij de behandeling van chakra's, 'gevoelspantsers', spanningen enzovoorts gebruikt worden. Bovendien werken ze via de hand- en voetreflexzones.

Laat enkele druppels olie op middel- en wijsvinger vallen en wrijf het tegen de klok in met zachte draaiende bewegingen, die tegen het eind spiraalvormig naar binnen toe kleiner worden, in op het lichaamsdeel in kwestie.

De aromalamp kun je gebruiken om de behandelingsruimte met de geur van de gewenste essence te doortrekken. Daarvoor gebruik je de essences in zuivere toestand en doet een paar druppels ervan in het met water gevulde schaaltje. Voor de sandelhout- en patchoeligeur kun je ook een wierookstaafje aansteken, maar het moet wel goede wierook zijn, d.w.z. bestaande uit zuivere plantaardige stoffen.

Wanneer je heel de dag in de vibratie van een bepaalde etherische olie ondergedompeld wilt zijn, doe je gewoon enkele druppels op wat watten of een stukje van een papieren zakdoekje. Daar wikkel je nog wat meer watten of papier om en vervolgens stop je het 'geurpakketje' in een zijden zakje, dat je een aan zijden of leren koord (beslist geen kettinkje van het een of andere metaal gebruiken!) om je nek draagt. Met deze indirecte methode houd je geur en vibratie van een etherische olie langer in je aura dan met parfum welke je rechtstreeks op je huid aanbrengt.

Samenvatting:
Reiki en geuren

Muskadel-salie: wekt levensvreugde en de natuurlijke nieuwsgierigheid van het 'innerlijk kind' op.

Patchouli: wekt lust tot zinnelijk beleven en vreugde over de gewaarwording van de wereld op.

Lavendel: geschikt voor mensen met 'te dunne huid'; versterkt de beschermende functie van de aura; schept zekerheid door distantie.

IJzerhard: een krachtig tonicum; maakt een einde aan organische en geestelijk-psychische labiliteit; geeft na een behandeling de kracht om ook daadwerkelijk gebruik te maken van het hervonden vermogen tot functioneren.

Sandelhout: de liefdevolle, warmhartige 'moeder' van de essences; wekt vertrouwen en schept sfeer en vergemakkelijkt de communicatie.

Hoofdstuk 11

REIKI EN MEDITATIE

Meditatie in al haar vormen is al sinds zeer oude tijden een geliefd hulpmiddel tot zelfontdekking. Met behulp van verschillende methoden van 'in jezelf verzinken' probeert de beoefenaar zijn Zelf te leren kennen, of anders gezegd, zijn eigenlijke wezen volkomen bewust te ervaren. Het succes van meditatieoefeningen hangt wezenlijk van twee principes af: loslaten en niet-doen. Waarbij het niet-doen het loslaten mogelijk maakt. Alleen wanneer je niet onophoudelijk in de een of andere vorm ageert, kun je je bewustzijn van zijn inhouden bevrijden en daardoor je 'greep' op de werkelijkheid loslaten. Maar het loslaten is tegelijkertijd ook een absoluut noodzakelijke voorwaarde voor het niet-doen: je moet eerst van de door angst ingegeven dwang tot handelen afstand nemen, zodat het niet-doen zich vrijelijk kan ontplooien. Verdraaid lastige zaak, of niet soms? Hoe kan de paradox nu opengebroken worden? Met andere woorden: hoe kun je met succes mediteren?

Heel eenvoudig: met vreugdevolle, liefdevolle aanvaarding. Merk je tijdens je meditatie dat je je in gedachten nu al weer bezighoudt met het opruimen van je huis, dan verzet je je niet tegen die gedachten, noch tegen de overweging dat ze nu wel erg ongepast en storend zijn. Je zit of ligt en alles is okee. Besef dat je aan de dwangmatigheden van alledag gebonden bent en niet ineens alles van je kunt afwerpen wat anders zo belangrijk voor je is. Straf jezelf niet, wanneer je aandacht afdwaalt. Laat je machtsaanspraken vallen, als je bewust waarneemt dat ze je hebt. Natuurlijk wil je je leven onder controle houden. Tracht je machtsaanspraken te begrijpen door je de angsten voor de geest te halen die er aan ten grondslag liggen: de angst dat je leven op een ramp uitloopt, wanneer je niet alles onder controle hebt;

de angst dat je man of vrouw niet meer van je houdt, ja je zelfs wil verlaten, wanneer je niet nog even snel dit of dat regelt; en de vele andere ijzingwekkende, bij ieder van ons aanwezige voorstellingen die uit het gefixeerde idee van de wereld 'gescheiden te zijn' voortkomen.

Doet je rug pijn van het zitten? Concentreer je dan op de pijn, die je laat zien dat de spieren op de pijnlijke plek de energie vasthouden tot bijna aan de grens van hun capaciteit. Wil je je ogen weer opendoen, de wereld weer waarnemen en verdergaan waar je je bezigheid net onderbroken hebt? Kijk dan naar je onrust en volg ze naar haar lichamelijke en psychische wortels. Verdring ze niet. Schenk er de aandacht aan die ze verdient, want ook je onrust is een deel van jou. Wat, wil je er geen aandacht aan schenken? Vind je het nu belangrijker je om je kat te bekommeren, je met je vrouw of man bezig te houden? Volg je beweegredenen tot aan de angsten die aan de wortel ervan liggen. Meer hoef je niet te doen. En wanneer je het doet, heb je al een hele tijd ernstig gemediteerd!

Reiki kan met zijn diepe ontspanning een effectieve steun zijn voor het proces van de behoedzaam gestuurde aandacht voor je Zelf en het daaropvolgende loslaten. Door de waarneming van de energiestroom, het rustige contact met je eigen lichaam en de werkzaamheid van reiki op zich, is een meditatief proces nauwelijks te vermijden. Je moet jezelf er alleen wat tijd voor gunnen.

Komen er dan delen van je Zelf in het bereik van je bewustzijn, die je bang maken, dan maakt de reiki-energie het je gemakkelijker ze hoe langer hoe liefdevoller aan te nemen en hun waardevolle energie in je persoonlijkheid te integreren. Pas daarna is het proces van analyse (waarnemer-object van waarneming) naar synthese (de integratie door bewuste, liefdevolle aanvaarding zonder logische motivatie) werkelijk voltooid.

Hieronder heb ik enkele meditatieoefeningen bijeengebracht die bijzonder geschikt zijn in combinatie met reiki.

Reiki-meditatie - Oefening I

Ga op je rug liggen, trek je benen op en laat ze zijwaarts neerklappen. Breng je voetzolen zo tegen elkaar, dat ze over zo'n groot moge-

Afb. 37: Reiki-meditatie - oefening 1

lijk oppervlak contact maken. Vouw dan je handen voor je hartstreek in gebedshouding. Je kunt deze meditatieoefening ook zittend met je rug tegen een muur of stoelleuning doen, wanneer je dat liever hebt (zie afbeelding 'Reiki-meditatie - Oefening I').

Wat gebeurt er nu tijdens deze oefening?

Doordat je de bijchakra's in je handen en voeten tegen elkaar legt, sluit je je energiekringloop. Daardoor kan de reiki-kracht nu via het contact van je handchakra's met de reflexpunten door alle plaatsen met te weinig energie opgenomen worden. Ze begint versterkt door je kruinchakra in je lichaam te stromen. Vandaaruit wordt er reiki naar de zonnevlecht gezogen en vervolgens via het hartcentrum naar je handchakra's geleid. Ze verdeelt zich langs het meridianenstelsel en de reflexzones over alle plaatsen van je lichaam die extra levensenergie nodig hebben.

Bovendien stroomt er reiki direct langs je armen je lichaam binnen. Voor dat doel moet de reiki-kracht natuurlijk eerst alle blokkades uit de weg ruimen of minstens doorlaatbaar maken, want anders kan ze niet werkelijk door je heen stromen. Wanneer je deze meditatieoefening regelmatig uitvoert, zul je merken hoe de energie steeds verder in je armen opklimt. Waar ze ook komt, overal bewerkstelligt ze een behaaglijk kriebelen, trekken en stromen.

Daardoor komt je lichaam, je Zelf, hoe langer hoe meer binnen het bereik van je aandacht. Tegelijk met dit proces neemt reiki blokkades weg, vervangt ze door liefde en warmte en schenkt je een gevoel van totaliteit: ja, je bent aanvaard.

Deze op zichzelf al krachtige oefening kun je nog uitbreiden door tegelijkertijd de mantra 'om' te intoneren. Dit woord van kracht komt uit het Indisch en betekent 'Zo is het!'. Door het te reciteren breng je je lichaam in zijn vibratie. Je lichaam verandert in de resonantiebodem van zijn energie. De 'o' voel je als vibratie in de richting van je wortelchakra gaan, de 'm' in de richting van je 'derde oog'. Samen laten de beide klanken van 'om' je de polen van je Zelf ervaren. De mantra maakt je bewust van je verbinding met 'hemel' en 'aarde', met de krachten van yin en yang. Dit lichaamsbewustzijn helpt je jezelf meer te aanvaarden. Je voelt jezelf en alleen al daardoor richt je je aandacht, je eigen energie en de reiki-kracht naar deze beide polen van je Zelf. Deze stroom van levensenergie naar je polen verlegt met de tijd op heel natuurlijke wijze de grenzen van je zelfgewaarwording, die je tot dan niet hebt durven overschrijden. Daardoor worden je mogelijkheden voor zelfexpressie ruimer en beschik je over meer energie en grotere levenslust.

Gedurende de oefening dien je op buikademhaling te letten. Doe deze oefening in het begin niet langer dan ongeveer drie minuten achtereen. Ben je eraan gewend, dan verleng je de oefeningstijd langzaam en in kleine stappen. In Tibet stelt men dat iemand door het ononderbroken zingen van de mantra 'om' de toestand van eenheid met het universum kan verwerkelijken.

Reiki-meditatie - Oefening II

Deze oefening richt je aandacht op je aarding en laat je je merkbaar je kracht voorstellen. Tegelijkertijd versterkt de reiki-vibratie in het proces je wortelchakra, ruimt de blokkades in het domein van voeten, benen en bekken uit de weg en versterkt de functie en energetisering van je aura. Bovendien worden via de meridianen en voetreflexzones alle lichaamsgebieden verrijkt en geharmoniseerd. Ze is daarom ook bij aanleg voor hoofdpijn en meer in het algemeen energieverstoppingen in de bovenste lichaamshelft zeer aan te bevelen.

Kniel op een zachte maar niet al te verende ondergrond neer, waarbij je benen ongeveer ter breedte van je schouders uitgespreid behoren te zijn. Vervolgens leg je je handpalmen tegen je voetzolen. Ben je heel lenig, dan leun je achterover, totdat je met je rug op de grond komt. De oefening is echter niet minder effectief, wanneer je ze met rechte rug uitvoert. Het belangrijkste is dat je met je handen je grote tenen en het middelpunt van je voetgewelven bedekt (zie de afbeelding). Aanvankelijk houd je deze houding ongeveer 5 minuten vol; daarna verleng je geleidelijk de duur van de oefening.

Hier is nog een variant van deze oefening: rechtop knielend duw je je bekken naar voren, terwijl je handen je voetzolen raken. Deze oefening is prachtig geschikt voor de genezing van je chakra's. Wel zal ze je in het begin zeer vermoeien. Je kunt daarom het beste met een halve minuut beginnen en de duur langzaam opbouwen.

Na de meditatie is het nuttig, wanneer je, nog steeds op je knieën, voorover buigt en je bovenlichaam helemaal naar voren kantelt, zodat

Afb. 38: Reiki-meditatie - oefening 2

je met je gezicht op de grond ligt en je armen evenwijdig aan je lichaam liggen. Blijf zo enkele minuten liggen en kom dan langzaam overeind.

Reiki-meditatie met partner - Oefening III

Het gaat hier om een oefening met een partner. Je kunt het met iedereen doen die een reiki-kanaal is. Ze zal je helpen je oefeningspartner te ervaren op werkelijkheidsniveaus die het verstand te boven gaan. Jullie zullen daarbij leren elkaar liefdevol aan te nemen en uit die aanvaarding een diep begrip voor elkaar ontwikkelen.

Afb. 39: Reiki-meditatie met partner - oefening 3

Dit is de ideale oefening voor minnaars. Jullie zullen door de oefening nieuwe dimensies voor jullie relatie ontsluiten. Voer ze uit voordat jullie met elkaar slapen of ook zo maar teder wat naast elkaar willen liggen. Ze zal het diepe vertrouwen in jullie wekken, zonder welk er niet werkelijk met vreugde van seks en erotiek genoten kan worden. Ze zal jullie in staat stellen ononderbroken 'samen te zijn'. Bovendien voorziet ze via de reflexzones alle lichaamsstreken van reiki.

Ga op een vlakke, niet al te verende ondergrond tegenover elkaar zitten. Spreid de benen iets meer dan schouderbreed en trek de knieën op. Schuif nu zo dicht naar elkaar toe, dat de een zijn benen over die van de ander kan leggen. Ten slotte leggen jullie de handpalmen tegen elkaar (zie afbeelding).

Jullie energie en de reiki-vibratie circuleren nu van de een naar de ander en versterken elkaar in deze kringloop veel meer dan in een zuivere optelling van jullie energetische krachten. Voel tegelijkertijd je partner in jezelf. Laat je door de reiki-kracht doorstromen, voel het trillen van de vibratie in je en de warmte en aanwezigheid van de ander. Houden jullie deze meditatie langer vol, dan zal ze een prachtige belevenis van gevoelsverbondenheid voorbij de alledaagse realiteit voor jullie worden.

Wanneer jullie willen kunnen jullie je grenzen nog verder laten vervagen, doordat jullie de mantra 'om' intoneren. Ook al beginnen jullie gescheiden te zingen, door het ritme van de ademhaling zullen jullie hoe langer hoe meer samenkomen, en daarin weerspiegelt zich het samengroeien van beider vibraties tot een gemeenschappelijke hogere frequentie. Dit proces is in kosmische zin ook de opgave van vaste relaties hier op aarde. Door middel van deze eenvoudige oefening kunnen jullie je liefde en verbondenheid bewust beleven en de ondersteuning voelen die jullie elkaar geven op de gemeenschappelijke weg naar het 'een-zijn'.

Vijf minuten is voor deze oefening het absolute minimum! Afstemmen, loslaten, versmelten en weer, nu echter oneindig verruimd, tot jezelf komen - dat duurt nu eenmaal eventjes. In hoog tempo gaat het niet. Een kwartier of half uur is dan ook beter. Neem er een of twee keer in de week de tijd voor. Die tijd is dan helemaal voor jullie samen gereserveerd en dat zal voor jullie en jullie relatie lonend blijven.

Groepsmeditatie met reiki - Oefening IV

Deze groepsoefening is op de bekende energiekringloop gebaseerd. Er zijn minstens twee deelnemers voor nodig, maar de oefening is mooier wanneer de groep groter is.

Jullie gaan in een kring staan en reikt elkaar de hand. De linkerhand (yin-kant) wordt daarbij met de palm naar boven, de rechter (yang-kant) met de palm naar beneden gehouden. De energiekringloop is het doelmatigst gesloten, wanneer de palmen op elkaar liggen.

De benen moeten ongeveer schouderbreed gespreid zijn. Voel je voeten en merk hoe je voetzolen de vloer raken. Houd de benen ontspannen en buig de knieën iets (ze mogen niet doorgedrukt en daardoor stijf zijn). Nu ontspan je je bekken en trekt het opnieuw zodanig op, dat het precies onder je onderbuik komt en de energie uit je wortelchakra ongehinderd op kan stijgen. Houd je hoofd dusdanig alsof het door een koord, dat boven aan je hoofd is vastgemaakt, naar boven getrokken wordt. Laat de nek daarbij vrij. Voel dan hoe de energie door je lichaam stroomt en vibreert. Geef je helemaal over aan je sensaties. Word je gewaar van de handen van degenen links en rechts van je. Merk hoe jouw reiki-energie naar hen overstroomt.

Deze groepsmeditatie kan uitgebreid worden met het gemeenschappelijk intoneren van de mantra 'om'. Voor mij is het elke keer weer een bijzondere belevenis, als ik me in een reiki-energiekring door de machtige vibratie van het 'om' laat doortrekken, als ik met mijn lichaam een resonantiebodem word voor dit krachtige 'Zo is het!', de goddelijke vibratie van de onvoorwaardelijke liefdevolle aanvaarding.

Jullie kunnen de oefening ook tot een geneeskring uitbreiden. Nadat de energiekring al enige tijd gesloten is, leidt een van de deelnemers de groep door de volgende visualisatie: stel je voor dat er in je kruincentrum wit, goddelijk licht binnenstroomt. Het stroomt je hart binnen en straalt vandaaruit genezende energie naar het midden van onze kring. Daar komen alle energiestralen samen en vormen een grote, witte bal van genezende goddelijke vibraties. Nu kun je door eenvoudig alle namen te noemen van allen die je wilt genezen, hen in deze energiebol laten komen. Ze zullen daar alle genezing krijgen die ze op dit moment willen en die voor hen van goddelijk standpunt zinnig is. Je kunt ook andere wezens (b.v. dieren en planten) in de kring laten plaatsnemen. Tot slot haal je ook nog Moeder Aarde in het centrum van de geneeskring en jezelf. Dan open je je zo wijd als je bereid bent voor de energie van de genezende liefde. Laat je erdoor doorstromen en iedere schaduw die je wilt loslaten in stralend licht veranderen. Voel de energie...'

Nu kunnen de deelnemers zich zo lang als ze willen laten doorstromen door de genezende kracht. Dan neemt ieder afscheid van de wezens die hij ter genezing opgeroepen heeft en kan ze, indien hij het wenst, zegenen. Ten slotte verenigt ieder zijn astrale lichaam door creatieve visualisatie weer met zijn stoffelijk lichaam en opent langzaam de ogen. De energiekring kan nu langzaam verbroken worden. Indien gewenst kun je je voordat je de handen loslaat bedanken voor de mooie belevenis: bij de anderen, bij God en bij jezelf.

Na een krachtige groepsmeditatie ga ik graag een tijdje liggen en voel dan mezelf. Anderen maken grapjes of lachen veel na afloop of doen andere dingen om hun levensvreugde tot uitdrukking te brengen.

Samenvatting:
Reiki en meditatie

Oefening I: bevordering van persoonlijke groei; ontwikkeling van het vermogen tot liefdevol aanvaarden (correspondentie met rozekwarts); aanleren van een meditatieve geesteshouding voor het leven van alledag; ontwikkeling van zelfgewaarwording (vooral in combinatie met de mantra 'om'); langzaam, harmonieus afbreken van blokkades; stress-release. Minstens 3 minuten, langzaam opbouwen.

Oefening II: bevordering van de persoonlijke groei; aarding; opladen van de wortelchakra en aura; afstand scheppen ten einde minder geraakt te zijn (correspondentie met lavendel). Minstens 3 minuten, langzaam opbouwen. De variant is vooral prachtig geschikt voor de genezing van chakra's.

Oefening III: bevordering van een tussenmenselijke relatie op gevoelsniveau; heft blokkades in het domein van het 'derde oog' en de bekkenstreek op; ervaring van eenheid met de partner, terwijl tegelijk de vibratiefrequentie wordt verhoogd; versterkt de keelchakra. (Let daarbij op angst voor intimiteit. Is die de volgende keer niet verdwenen, zoek dan hulp bij een terzakekundige therapeut! Niets forceren!) Minstens 5 minuten, beter is 15 minuten.

Oefening IV: bevordering van groepsbewustzijn; openen van de hartchakra; ervaring van eenheid met de andere delen van de schepping; verhogen van de vibratiefrequentie; activeren van de aan het lichaam inherente kracht tot zelfgenezing. (Let op angst voor intimiteit. In een energiekring komt ze weliswaar slechts zelden voor, maar desondanks dien je er bij langere lichamelijke nabijheid tussen meer mensen altijd op te letten!) Minstens ongeveer 5 minuten, beter is 10 minuten.

Hoofdstuk 12

REIKI EN MEDICIJNEN

Aangezien het geven van reiki bij ernstige ziekten groot nut kan hebben als begeleidende maatregel, is het belangrijk te weten of er wisselwerkingen met medicijnen kunnen optreden, en zo ja, hoe die er dan uitzien.

Het volgende is een samenvatting van de ervaringen die natuurgeneeskundigen, therapeuten en reiki-vrienden daarmee opgedaan hebben, en ook mijn eigen inzichten heb ik erin verwerkt. Het maakt geen aanspraak op volledigheid en indien mogelijk moet men het met enkele toepassingsreeksen klinisch verifiëren. Daarop hoeven we evenwel niet te wachten, daar de huidige stand van kennis ons reeds vele fundamentele gedragsregels geeft voor de toepassing van reiki in samenhang met medicijnen.

Een wezenlijke werkzaamheid van reiki is de ondersteuning van alle levensprocessen. Reiki stimuleert de stofwisseling en bevordert de ontgifting. Aan de andere kant bewerkstelligt reiki een diepe ontspanning in heel het lichaam en bevordert zo het reactievermogen van het organisme op alle niveaus. Op grond daarvan zal duidelijk zijn dat de reiki-kracht onvermijdelijk ingenomen medicijnen moet beïnvloeden.

Chemische (allopathische) medicijnen

Uit onze ervaringen kunnen we concluderen dat reiki de werking tempert van al die allopathische medicijnen die een gewenste vergiftiging van het organisme veroorzaken. Reiki zal een dergelijke vergiftigingsstatus, al naar gelang van de sterkte en duur van het reiki-werk, sneller afbreken dan voor deze medicijnen eigenlijk voorzien is. Aan de andere kant bevordert reiki de receptiviteit en zal er daarom aan bijdragen (vooropgesteld dat hij voor het innemen van het medicijn toegepast is) dat een geringere dosis al volstaat voor de gewenste werking. Ook dat hangt natuurlijk af van de lengte en intensiteit van de voorafgaande reiki-sessie. Met deze werkingen moet in de eerste plaats rekening gehouden worden bij pijnstillende en verdovingsmiddelen (narcose!), die voor hun werking in het lichaam moeten blijven zitten. Aan bepaalde plaatselijke verdovingsmiddelen (zoals bij de tandarts) zijn speciale stoffen toegevoegd waarvan de werking de bloedvaten vernauwt, waardoor de narcotiserende substantie langer in het te verdoven lichaamsgebied blijft. Reiki ontspant ingrijpend en zal dientengevolge deze werking verminderen, wanneer hij door de plaats in kwestie wordt opgenomen.

In de seminaries voor de 2e graad wijst de reiki-leraar erop dat je bij operaties nooit op afstand met de reiki-kracht mag behandelen, omdat anders het gevaar bestaat dat de patiënt uit de narcose bijkomt. Dat geldt al evenzeer van behandelingen met de 1e graad.

Iedere narcose kan, wanneer ze haar doel vervuld heeft, met reiki sneller en harmonieuzer beëindigd worden. Worden na een operatie sterke pijnstillende middelen toegediend, dan dient er zekerheidshalve van lange algehele behandelingen afgezien te worden en mogen alleen de geopereerde lichaamsstreken en sterk belaste organen (b.v. lever of nieren) reiki krijgen. Naar mijn bevindingen ondervindt de werking van een op heel het lichaam gericht pijnstillend middel daar geen hinder van. Daar staat tegenover dat reiki vaak wondpijn stilt of verzacht. Naar keuze kunnen ook sterk belaste lymfklieren reiki krijgen.

Bij lichtere pijn kan reiki dikwijls narcosemiddelen overbodig maken. Hoofdpijn en wondjes, insektesteken en kiespijn kunnen op die wijze zonder de 'chemische wapenstok' verzorgd worden.

Gelijke voorzichtigheid als bij narcotiserende medicijnen is geboden bij chemische middelen die alleen dan werken, wanneer ze steeds in een bepaalde hoeveelheid in het bloed aanwezig zijn. Macumar, een bloedverdunningsmiddel, en digitalis, een hartmiddel, zijn voorbeelden daarvan. Over reiki-behandelingen voor en na chemotherapie heb ik zeer positieve berichten ontvangen. Gedurende de eigenlijke chemotherapie mogen er evenwel geen algehele reiki-behandelingen gegeven worden. Bij twijfel dienen er over algehele reiki-behandelingen altijd afspraken gemaakt te worden met de behandelende deskundige, die exact op de hoogte is van de werking van de gegeven medicijnen. Staat hij er welwillend tegenover, dan kan reiki een effectieve combinatie aangaan met allopathische medicijnen.

Alleen een zeer intensieve algehele reiki-behandeling zal genoeg doordringingsvermogen bezitten om de werkingen van een allopathisch medicijn duurzaam te verminderen. Aangezien de algehele behandeling tegelijk echter ook vele positieve levensprocessen aanzwengelt, hoeft er nauwelijks met een drastische verslechtering van de toestand van de cliënt rekening gehouden te worden. De aanwijzingen dienen in de eerste plaats ter verduidelijking van de mogelijke invloed van reiki op allopathische geneesmiddelen. Concludeer er alsjeblieft niet uit dat reiki ernstige en blijvende gezondheidsstoornissen teweeg kan brengen.

Fytotherapie

Worden geneeskrachtige planten holistisch, d.w.z. voor de normalisering van het gewone systeem van het organisme gebruikt, dan verhoogt reiki algeheel de werkzaamheid ervan en versnelt het genezingsproces. De toepassing van synthetische of geïsoleerde plantaardige stoffen, die niet meer de totale biologie van een plant bevatten, komt overeen met die van allopathische medicijnen.

Homeopathie

De medicijnen volgens deze procedure werken regulerend op alles wat er in het organisme fout gaat, en wel zowel op lichamelijk als op geestelijk vlak. Wanneer ze inderdaad volgens de principes van de homeopathie toegediend worden, werken ze absoluut holistisch. Dientengevolge vergroot reiki hun kracht, terwijl bovendien de aanvankelijke verslechteringen onder bepaalde omstandigheden er lang niet zo heftig door zijn en sneller verdwijnen. Bij kuren met reactie opwekkende middelen, zoals zwavel, magnesium, fluoratum of nosode, draagt reiki aan de verbetering van de opwekking bij. Aan de andere kant kan gericht reiki-werk aan het lymfsysteem en de bij de opwekking betrokken organen overbelastingen helpen voorkomen en langs die weg een zachte vooruitgang van de kuur garanderen.

Afb. 40: Reiki en medicijnen

Worden er lage potenties (naar gelang van de werkzame stof tot ongeveer D 6) in grote doses toegediend, dan helpen reiki-toepassingen (vooral algehele behandelingen) de bloedspiegel de substantie(s) in kwestie op een normale waarde te houden, doordat ze de uitscheiding versnelt van alle stoffen die niet bevorderlijk voor het lichaam zijn. Wanneer er een substantiële werking beoogd wordt, dient daar in de begeleidende reiki-toepassing rekening mee gehouden te worden.

Reiki werkt bij homeopathische medicijnen dikwijls als een reagens. Geregeld werken met reiki, of het nu als 'gever' of als 'recipiënt' is, maakt het organisme gevoeliger voor homeopathie. De medicatie verschuift met de tijd in de richting van hogere potenties en kleinere doseringen en van dierlijke substanties naar mineralen en metalen. Meestal komen pas na langere reiki-toepassing duidelijke symptomen tot uiting.

De homeopathie zit daar aan haar grens, waar het organisme niet meer genoeg kracht voor zelfgenezing opbrengt. Hier kunnen algehele reiki-behandelingen en gericht reiki-werk aan de wortelchakra van veel baat zijn.

Na een langere homeopathische behandeling kan reiki ook naast de gepaste medicatie ter versterking toegepast worden; op die wijze verkort reiki de herstelperiode.

Spagiriek

Deze geneeswijze maakt gebruik van alchemistische verklaringsmodellen en technieken voor de vervaardiging van medicijnen. De leer volgens welke deze middelen voorgeschreven worden, vertoont wel een zekere verwantschap met de homeopathie en fytotherapie, maar is niet met de denkmodellen daarvan te verklaren. Spagiriek werkt holistisch, wanneer de medicijnen deskundig samengesteld en volgens de principes van deze geneeswijze voorgeschreven worden. Zover ik weet worden de toepassingsduur en dosering door reiki sterk gereduceerd. Evenals bij de homeopathie kunnen ook hier reactie opwekkende kuren ondersteund worden. Het opladen van spagirische medicijnen met reiki versterkt de werking ervan.

Bloesemelixers

Bachremedies, Californische, Australische en inheemse bloesemessences werken op zeer hoge vibratieniveaus. Het zijn absoluut holistische medicijnen en dientengevolge wordt hun werking door reiki bevorderd.

Opladen van bloesemelixers met reiki verhoogt hun werking. Voor verdere versterking kan ook speciale gekleurde folie volgens het Verana-systeem gebruikt worden.

Een probleem in verband met de toepassing van bloesemelixers is dat de patiënt reeds op hoge vibraties afgestemd moet zijn, wil de werkzaamheid van deze bijzondere medicijnen zich ten volle kunnen ontplooien. Regelmatige algehele reiki-behandelingen voor en onder het innemen kunnen de patiënt helpen zich voor de hoge vibratiefrequenties van de bloesems te openen. Een andere mogelijkheid is gericht reiki-werk aan de door de bloesems beïnvloede chakra's.

Samenvatting:
Reiki en medicijnen

Allopathie: Nooit reiki samen met narcose geven. Dat is absoluut verboden. Ook voorzichtig zijn bij pijnstillers en middelen die door permanente aanwezigheid over langere tijd effect op het lichaam moeten sorteren (zoals macumar en digitalis). Reiki kan nochtans schadelijke bijwerkingen van allopathische behandelingen voorkomen.

Fytotherapie: Reiki werkt ondersteunend. Let op bij geïsoleerde plantaardige stoffen! (Daarvoor gelden dezelfde beperkingen als voor allopathische medicijnen.)

Homeopathie: Reiki werkt ondersteunend en als reagens. Helpt bij reactie opwekkende kuren; werkt versterkend. Over het algemeen kleinere doseringen, hogere potenties en verschuiving naar minerale middelen.

Spagiriek: Zie homeopathie; opladen van de medicijnen met reiki verhoogt de werking ervan.

Bloesemelixers: Zie spagiriek; reiki voor en onder het innemen verbetert het reactievermogen; gekleurd folie volgens de Verana-methode verhoogt de kracht van de bloesems.

Hoofdstuk 13

REIKI MET PLANTEN EN DIEREN

De reiki-kracht is er natuurlijk niet alleen voor mensen. Ook dieren en planten kunnen ervan profiteren en laten zich er graag door aanraken en doorstromen. Vanzelfsprekend verloopt het reiki-werk met dieren iets anders dan bij menselijke cliënten. Hieronder staan een paar tips daaromtrent.

Reiki en planten

Aangezien planten nogal kunnen variëren qua grootte, van enkele millimeters (kiemen) tot zo wat 100 meter (reuzebomen), varieert ook de tijd die we voor hun behandeling nodig hebben. Voor kiemen is een behandelingsduur van 2 à 3 minuten voldoende gebleken en voor kamerplanten 5 tot 10 minuten. Grotere planten kunnen we veelal niet met de energie van de 1e reiki-graad ondersteunen. Daarvoor zijn de methoden van de 2e reiki-graad geschikt, waarmee we ook hele bossen eenvoudig en in tamelijk korte tijd kunnen voorzien van de reiki-kracht. Wanneer we grote planten of zelfs een kleine tuin reiki willen geven, dan is het eenvoudigste het water waarmee we ze begieten met reiki op te laden. Naar mijn ervaring is per liter 1 tot 2 minuten genoeg. Of de lading voldoende is, kan gemakkelijk met een pendel getest worden: laat de pendel geen negatieve vibraties meer zien, dan kan er gegoten worden.

Je moet in ieder geval altijd de wortels van de kamerplanten meebehandelen, niet alleen de blaadjes. Op de wortels overgebracht helpt reiki ook tegen wortelrot, zowel ter voorkoming als ter genezing ervan. Regelmatige reiki-doses in het wortelstelsel helpen net overgepotte planten in hun nieuwe omgeving uit te schieten en zich thuis te voelen.

Afb. 41: Reiki voor kamerplanten

Reiki en ongedierte

Zijn planten door ongedierte aangetast, dan kun je ze met reiki goed helpen. Enkele minuten behandeling verhoogt meestal de levenskracht van kamerplanten al zodanig, dat ze genoeg afweerstoffen tegen de aantasting door ongedierte kunnen vormen. De volgende dag is het ongedierte er in de regel al afgevallen. Aangezien het ongedierte de in hun nietige lichaampjes aanwezige gifstoffen evenwel aan de aarde afgeven en daardoor de plant ook na hun verdelging nog kunnen schaden, moeten we de blaadjes grondig afspoelen. In de loop van de volgende dag moeten nog enkele reiki-doses toegediend worden om de plant weer op krachten te brengen. Dat is heel belangrijk, omdat ze anders de inspanning van de afweerreactie, juist bij sterke aantasting, niet overleeft.

Reiki-meditatie met bomen

Met bomen kun je goed mediteren. Je gaat daarvoor dicht bij een sterke boom staan en legt je handpalmen op zijn stam of omarmt hem. Na een tijdje zul je zijn krachtige, rustgevende aanwezigheid voelen. In dit proces geef je hem reiki en hij trekt je binnen zijn aura. Heb je regelmatig contact met een bepaalde boom, dan kan het zijn dat hij je beelden of andere indrukken openbaart. Bomen kunnen goede raadgevers zijn, wanneer ze je vertrouwen.

Als je nu het boek terzijde wilt leggen, omdat je gelooft dat ik nu finaal doorgedraaid ben - probeer het dan toch eens zelf. Je zult waarschijnlijk net zo verrast staan als ik bij mijn eerste 'boomcontact'.

Reiki en bossterfte

In onze tijd is het heel belangrijk onszelf er steeds weer aan te herinneren, dat wij mensen de wereld niet als een zelfbedieningswinkel mogen gebruiken, onder het motto 'Werp maar weg, morgen staan de schappen toch weer vol'. Die instelling heeft al onnoemelijk veel schade aangericht.

Wanneer je de afstemming op de 2e reiki-graad verkregen hebt, kun je veel doen om planten te helpen leven (en overleven). Zoek uit welke bosgebieden in de buurt van je woonplaats sterk te lijden heb-

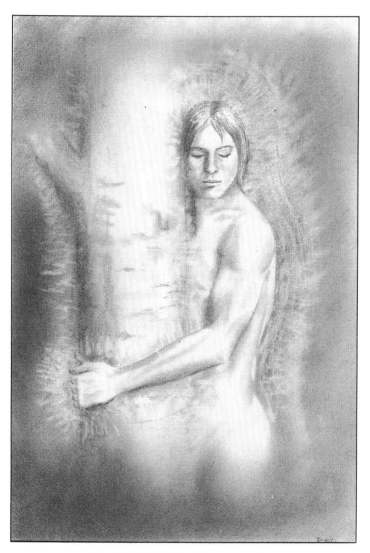

Afb. 42: Reiki-uitwisseling met een boom

Afb. 43: Reiki op afstand tegen bossterfte

ben en zend daar geregeld via behandeling op afstand de reiki-kracht naar toe. Nog beter is het uiteraard, wanneer enkele reiki-vrienden meehelpen die eveneens de methoden van de 2e graad kunnen toepassen. Een dergelijke 'boomhulpgroep' kan vaak kleine wonderen verrichten.

Reiki en dieren

Alle dieren houden van reiki. Ze zijn heel gevoelig voor de kracht en weten precies hoeveel en op welke plaatsen ze reiki nodig hebben. Ze besparen ons zo heel wat werk. Ze bepalen namelijk zelf de duur en de zwaartepunten van de reiki-sessies.

Concreet ziet dat er zo uit: je zit met een vriend gemoedelijk thee te drinken. Plots komt er een hond naar je toe, stoot tegen je aan en duwt zijn lichaam tegen het jouwe aan. Wanneer je hem nu de handen oplegt, zal hij zich zo draaien, dat ze precies op de juiste plaats liggen. Misschien verandert hij na een tijde van houding. Wanneer hij op een gegeven moment onrustig wordt of wegloopt, is de sessie ten einde.

De reiki-sessies zullen ook effect sorteren op je relatie met dit dier. Ik heb vaak meegemaakt dat zulke reiki-behandelingen het begin van ware vriendschap waren. Het dier verliest zijn natuurlijke schuwheid en krijgt heel veel vertrouwen in je. Grote of gevaarlijke dieren moet je alleen met 2e-graadsreiki op afstand behandelen. Gaat dat niet, dan kun je voor het voederen altijd nog het voer en drinkwater met reiki opladen. De werking is wel wezenlijk zwakker dan bij een directe reiki-dosis, maar wanneer het regelmatig gedurende langere tijd gedaan wordt, helpt het ook. Overigens over het onderwerp voer: onze huisdieren krijgen meestal fabrieksvoer en leidingwater. Geen van beide is bepaald optimaal voor hun welzijn. Is er geen mogelijkheid om gezondere voeding te bereiden (zoals vers vlees en zwevend of bronwater), dan kun je het eten minimaal met reiki opladen. De werking van schadelijke stoffen wordt daardoor tegengegaan en het voedsel wordt gemakkelijker te verteren. Dat geldt overigens ook voor je eigen eten.

Reiki en paarden

Van een bevriende diergeneeskundige, die ook reiki uitoefent, weet ik dat zij met reiki haar paarden aanzienlijk sneller van koliek kan verlossen. Wanneer de reiki-kracht samen met homeopathische middelen gegeven wordt, verbetert de koliek vaak zelfs al binnen een kwartier. Zij legt daartoe de handen eenvoudig op de buik van het dier op en verplaatst ze na enige tijd naar een andere plek.

Reiki en katten

Bij huiskaters is castratie nagenoeg regel. Katten worden vaak gesteriliseerd, opdat ze niet krols zijn en daaronder lijden. Je kunt je dichtbehaarde huisgenoten met reiki helpen de ingreep goed te doorstaan en de herstelfase te bekorten. Krolse katten worden rustiger wanneer ze in die periode veel reiki krijgen. Het helpt ze ook wanneer je de klinker 'u' vanuit je buik zingt. De vibratie van deze klinker correspondeert met het seksuele centrum en brengt het dier in contact met de energie waarnaar het verlangt. Dat functioneert echter alleen goed, als de klank ook werkelijk vanuit je buikstreek gevormd wordt; zo niet, dan ontbreekt er simpelweg de vibratie van de 2e chakra aan. Houden je kennissen je voor knots, wanneer je je krolse kat met een

Afb. 44: Katten houden van reiki

diep uit je buik komend 'UUUUU" toezingt - stoor je er niet aan. Ze wennen er wel aan. Misschien nemen ze zelfs de methode over, nadat ze gezien hebben dat ze helpt.

In principe sorteert reiki effect op alle wezens in je omgeving. Planten en dieren zullen zich meer op het gemak in je buurt voelen en je in de dagelijkse omgang met meer vertrouwen benaderen. De reiki-vibratie wordt langs je handchakra's constant in je aura afgegeven. Alles wat door je aura aangeraakt wordt, komt daardoor ook in contact met reiki. Mogelijk kriebelen je handen in de buurt van bepaalde planten en dieren. Dat is een teken dat ze juist bij jou hun portie levensenergie willen halen.

Het kan voorkomen dat je huisdier aanvankelijk zeer verward op je reiki-afstemming reageert. Het voelt de verandering in je uitstraling en begrijpt dat natuurlijk niet meteen. Gun het de tijd om eraan te wennen. Het zal al gauw uit zichzelf naar je toekomen en zich weldadig in je handen nestelen.

Samenvatting:
Reiki met planten en dieren

Planten kunnen direct aan de blaadjes en de wortels, indirect via het gietwater behandeld worden. Met 2e-graadsreiki kunnen veel planten tegelijk van reiki voorzien worden. Kleine, jonge en zeer verzwakte planten eerst met korte reiki-sessies behandelen. Langzaam opbouwen. Behandeling op afstand voor zieke bossen.

Dieren kunnen, indien ze ongevaarlijk zijn, direct behandeld worden. Te grote of gevaarlijke dieren zijn te behandelen op afstand of door middel van hun voer en water. Dieren bepalen in verregaande mate zelf hoe lang en hoeveel reiki ze willen. Let daarop en respecteer hun besluit. Dieren reageren vaak verward, wanneer iemand die ze kennen in reiki wordt ingewijd. Ze komen uit zichzelf weer terug.

Hoofdstuk 14

DE MOGELIJKHEDEN VAN DE
2e EN 3e REIKI-GRAAD

De 2e reiki-graad vormt een uitbreiding van je vermogens op alle niveaus. Dingen waarover je in fictieromans leest of die je alleen in de bioscoop te zien krijgt, worden door de mogelijkheden van de 2e graad werkelijkheid.

In dit hoofdstuk wil ik je niet meer dan iets over het reusachtige werkingsbereik van deze mogelijkheden vertellen. Wees niet boos wanneer ik niet concreet ben. Dat gaat niet. De kennis voor de praktische toepassing wordt uitsluitend mondeling doorgegeven en met die traditie wil ik niet breken.

De 2e graad gaat gepaard met een groot gevoel van macht. Alleen wie met een opgeleide reiki-meester samenwerkt, zou toegang tot de erbijhorende symbolen en technieken mogen hebben.

Met behulp van een van die technieken kan het stromen van de reiki-kracht veelvoudig versterkt worden. Daardoor kun je voorwerpen veel gemakkelijker energetisch schoonmaken. En ook al vallen de reiki-sessies nu veel korter uit, hun effectiviteit is veel groter.

Een andere techniek van de 2e graad maakt harmonisering op geestelijk-psychisch niveau mogelijk. Reiki kan daardoor rechtstreeks in het onderbewuste doordringen. Karmische patronen, angsten, hunkeringen en andere geestelijk-psychische stoornissen van uiteenlopende aard zijn zo positief te beïnvloeden. Voorwerpen, vooral edelstenen en bepaalde metalen, kunnen langs deze weg van positieve vibratiepatronen voorzien worden. Bewustwordingsprocessen worden versneld.

De laatste basistechniek van de 2e graad is ook de veelzijdigste. Reiki kan ermee over elke gewenste afstand, naar elke plaats gezonden worden, niet alleen op deze wereld. Aangezien de verbinding naar beide kanten toe functioneert, kan er met wat oefening ook informatie uitgewisseld worden. Ruimten kunnen energetisch gezuiverd en aardstraling en (met enige beperking) straling van apparaten kunnen geneutraliseerd worden. Op bepaalde plaatsen kunnen er 'reiki-stortbaden' mee gecreëerd worden. Op die wijze kun je hele landen, zelfs heel de aarde van reiki voorzien. Natuurlijk gaat het maar om kleine energiehoeveelheden, maar wanneer vele mensen met de 2e graad samenwerken, kan er wat bereikt worden. In de herfst van 1989 was er om politieke redenen een dergelijke wereldwijde actie...

Deze vermogens kunnen voor het heil van anderen, maar ook voor de bevordering van de eigen gezondheid en ontwikkeling gebruikt worden. Je kunt jezelf bij voorbeeld met een behandeling op afstand voor heel je lichaam van reiki voorzien. De sessieduur loopt terug tot ongeveer 20 minuten. Ter vergelijking: de behandeling met contact van de 1e graad duurt 90 minuten. Met de 2e graad kunnen we de reiki-kracht ook naar meer mensen tegelijk zenden.

Een andere mogelijkheid bestaat erin reiki naar bepaalde vormen- de situaties in het verleden terug te zenden en langs die weg patronen weg te nemen en nieuwe ontwikkelingsmogelijkheden open te leggen.

Dat moet volstaan. Wanneer je meer wilt weten, ga dan naar een reiki-meester toe. En schijn je het gezegde nauwelijks te kunnen geloven, informeer dan eens bij iemand die al een inleiding in de 2e graad heeft meegemaakt en laat je een behandeling op afstand geven. Dan weet je het uit eigen ervaring.

De 3e reiki-graad

Dit is de meestergraad. Wie erin ingewijd is, kan anderen tot een reiki-kanaal maken. Overigens niet alleen. Ook reiki-meesters zijn 'slechts' kanalen voor de universele levensenergie. De meester-graad gaat gepaard met vele persoonlijke transformaties. De inwijding vergt daarom een zeer innige verbinding met reiki. Hawayo Takata, de voorlaatste reiki-grootmeester, drukte het eens zo uit: 'Wanneer je er klaar voor bent alles op te geven om reiki in de wereld uit te dragen,

Afb. 45: Reiki-behandeling op afstand

ben je er klaar voor reiki-meester te worden!' Reiki-meesters zijn aan geen enkele groep gebonden en zijn absoluut vrij in hun beslissingen en wat ze geloven. Ze worden niet door de huidige grootmeester gecontroleerd.

Er is dus geen 'reiki-sekte' of 'reiki-kerk', noch een 'reiki-goeroe', die de toon zet en de richting bepaalt. De boodschap van de reikikracht is liefde en vrijheid, niet afhankelijkheid en dogma.

Hoofdstuk 15

VRAGEN EN ANTWOORDEN

'Waarom merk ik vaak niets in mijn handen?'
Dat kan verschillende oorzaken hebben. Wanneer je ten volle in de hectiek van alledag staat, moet je jezelf ongevoeliger maken ten einde de talloze indrukken van de omgeving te kunnen verwerken en ermee te kunnen omgaan, zonder er te veel door geprikkeld te worden. Je sensibiliteit voor fijnstoffelijke sensaties (zoals het stromen van de reiki-kracht) is dan sterk verminderd. Je merkt dus niet zo goed of helemaal niet of er feitelijk reiki stroomt. Neem je de tijd en ontspan je je, dan komt het gevoel voor de energie weer terug.

Een andere oorzaak kan zijn dat je nog niet zo lang geleden pas in de 1e graad afgestemd bent. Je waarnemingsvermogen voor energieën heeft zich nog niet ver genoeg kunnen ontwikkelen om reiki als zodanig gewaar te worden. Wanneer je geregeld met de reiki-kracht werkt, zal dat waarnemingsvermogen zich heel natuurlijk hoe langer hoe meer ontwikkelen. Neem de tijd en oefen met de in hoofdstuk 7 beschreven technieken.

Ten slotte kan het ook zijn dat er helemaal geen energie stroomt. Reiki wordt immers door de recipiënt opgezogen of aangetrokken. Wanneer je je er onderbewust voor afsluit of simpel geen energie nodig hebt, stroomt er ook niets, en dus neem je evenmin iets waar. Je kunt dat lichaamsgebied, wanneer het om een plaatselijke blokkade gaat, via reflexzones behandelen. Hoe verder die van de geblokkeerde plaats af liggen, hoe effectiever het is.

'Is het mogelijk dat reiki bij mij niet meer stroomt?'
Neen. Door de inwijdingen ben je voor altijd een reiki-kanaal en met de goddelijke energie verbonden. Zelfs wanneer je twintig jaar lang geen gebruik van reiki maakte (wat onmogelijk is, want er

stroomt automatisch reiki zodra je je handen oplegt op een plaats die reiki nodig heeft), zou de kracht je meteen weer ter beschikking staan zoals direct na je inwijding. Wel kan het zijn dat je door het een of ander op het moment de energie niet kunt waarnemen (zie boven).

'Waarom gebeurt er vaak niets, wanneer ik reiki geef?'

Er gebeurt altijd iets wanneer reiki ergens een levend wezen binnenstroomt. Maar mogelijk is dat wat anders dan je voor ogen hebt. Reiki heeft zo zijn eigen manier van werken, waarop je slechts in beperkte mate invloed kunt uitoefenen. Misschien wil je iemand helpen met roken te stoppen, maar gebeurt er niets, hoewel je hem veel reiki geeft. Na een week begint je cliënt echter opeens te tennissen en plezier te beleven aan lichaamsbeleving. Dat was dan belangrijker. Het ontwennen is wellicht niet zo belangrijk geweest als jullie beiden dachten.

Wanneer je een acuut gezondheidsprobleem met reiki behandelt en er worden geen resultaten zichtbaar, dien je zonder uitstel een medisch opgeleide deskundige te hulp te roepen. Misschien is de hoeveelheid reiki-kracht eenvoudig niet voldoende om het roer snel genoeg om te gooien, of er kan sprake zijn van een organische stoornis, die chirurgisch of op een andere manier behandeld moet worden. Vooral bij etterende wonden of sterke, aanhoudende pijn dient, zonder dat je al te lang maar wat experimenteert, de behandeling direct aan een arts of natuurgeneeskundige overgedragen te worden. Reiki maakt noodmaatregelen niet overbodig.

'Is reiki spirituele genezing?'

Deze vraag kan niet eenvoudig met ja of nee beantwoord worden. Er zijn zovele methoden van spirituele genezing, van de psychochirurgen in Brazilië tot aan genezing met de 'Christuskracht' en vele honderden wegen daartussen. Je kunt op alles altijd wel het etiket 'spirituele genezing' opplakken, omdat er met fijnstoffelijke energieën gewerkt wordt, die in de een of andere vorm heel de mens in het genezingsproces betrekken. Reiki doet dat ook. Maar in wezen is de toepassing van reiki voor het opheffen van allerlei gezondheidsverstoringen slechts een klein facet van de vele mogelijkheden. Iedereen kan reiki bij voorbeeld gebruiken om bewuster te leren leven, ontvankelijker en levendiger te worden of simpel Gods nabijheid te voelen, wanneer hij met reiki in contact komt. Reiki is ook niet, zoals de spirituele geneesmethoden, 'slechts' een weg die zieken weer gezond maakt, maar veel meer nog een weg (zie ook hoofdstuk 1) voor mensen zonder klachten, die hun levendigheid en liefdesvermogen op een eenvoudige en duurzame wijze willen ontwikkelen.

Misschien kan de vraag zo beantwoord worden: spirituele genezing is slechts een van de vele mogelijkheden van de reiki-kracht.

'Mijn vrouw/dochter/moeder/tante zou reiki zo goed kunnen gebruiken, maar elke keer wanneer ik het vraag, wil zij zich niet laten behandelen en ook niet de inwijding hebben. Moet ik nu de 2e graad doen, zodat ik op afstand kan behandelen? Daar kan zij toch niets tegen doen, of wel?'

Geen levend wezen zou tegen zijn uitgesproken wil in reiki opgedrongen mogen krijgen. Iedereen heeft recht om op zijn wijze zijn leven vorm te geven. De 2e graad is er niet voor bedoeld zich niets van de kenbaar gemaakte wil van iemand aan te trekken. Met kenbaar gemaakte wil bedoel ik niet dat hij je een verklaring schuldig is, maar zijn niet mis te verstane uiting van zijn weigering, zelfs wanneer het niet meer dan een duidelijk gebaar is (zoals bij dieren).

Dit punt is vooral voor de ingewijden van de 2e graad belangrijk, want zij kunnen immers de reiki-energie overal naar toe zoenden zonder direct met de recipiënt in contact te staan. Kun je er niet achter komen of de potentiële recipiënt het ermee eens is (coma, bewusteloosheid, geestesgestoordheid, geen afspraak mogelijk enzovoorts), vraag het dan aan een orakel of beslis met verantwoordelijkheidsgevoel op basis van je intuïtie over een behandeling op afstand.

'Waarom zijn de reiki-inwijdingen zo duur?'

1. Ieder mens heeft in heel zijn leven voor elke reiki-graad slechts één inwijding nodig. Over die periode uitgesmeerd zijn de kosten minimaal. Wanneer je nadenkt over de verhouding tussen kosten en baten, kan het niet anders of je komt tot de slotsom dat de inwijdingen eigenlijk nog veel duurder moesten zijn.

2. Aangezien enerzijds iedereen dus slechts één keer in een reiki-graad ingewijd wordt, en anderzijds reiki-meesters ook moeten leven en hun kosten terugverdienen, is 'reiki voor 50 gulden' of daaromtrent economisch niet te verantwoorden.

3. De reiki-inwijdingen zijn een fantastisch goed, maar mensen kunnen ook zonder reiki gelukkig worden. Door de prijs wordt dus niemand iets onthouden wat hij absoluut nodig heeft. Wanneer men het voor zijn persoonlijke ontwikkeling nodig heeft, zal het men zich ook kunnen permitteren.

4. De hoogte van het cursusgeld wordt uiteindelijk zoals alle andere prijzen voor goederen of dienstverleningen bepaald door de markt. Een 'juiste' prijs bestaat niet. Maar een prijs is altijd gerechtvaardigd, wanneer genoeg 'kopers' de prijs accepteren en genoeg 'leveranciers' voor die prijs kunnen leveren.

5. Reiki vertegenwoordigt een waarde. Mensen hebben nu eenmaal de eigenschap dat ze 'dure' dingen met meer aandacht en groter respect behandelen. Aangezien reiki een deel van iemands wezen wordt, gelijk de talenten die hij bezit, is het belangrijk dat dit nieuwe deel van begin af als waardevol wordt aanvaard. 'Niet waardevolle' persoonlijkheidsdelen worden niet zo graag aangenomen. Ik geef maar zelden korting op mijn cursusgeld. Hawayo Takata, de voorlaatste reiki-grootmeester, zei eens over 'kortingen op reiki-cursusgeld' kort en krachtig: *'Don't bargain with reiki!'* Dat is uit mijn hart gegrepen. 'Reiki in de aanbieding' - daar klopt voor mij iets niet aan!

'Moet men per se een reiki-inwijding hebben om de handen te kunnen opleggen?'

Nee, natuurlijk niet. Ieder mens bezit in principe het vermogen om langs de handen levensenergie over te brengen. De een wat meer dan de ander. De reiki-inwijdingen garanderen evenwel dat niet de eigen levensenergie, maar de universele levensenergie gekanaliseerd wordt. Het reiki-werk veroorzaakt daardoor geen toestanden van uitputting en er hoeven ook geen bijzonder oefeningen gedaan te worden om aan energie te komen. Bovendien worden er door de inwijdingen beschermingsmechanismen aangebracht, die verhinderen dat negatieve vibraties opgenomen of aan de recipiënt doorgegeven worden. De inwijdingen versterken verder de energiestroom tot een veelvoud van de aanwezige capaciteit. Er zijn nog meer effecten van de traditionele reiki-inwijdingen, die echter op andere plaatsen in dit boek behandeld zijn, zodat ik er hier niet verder op inga.

'Werkt reiki alleen als ik erin geloof?'

Nee, er wordt automatisch reiki overgedragen, wanneer de energie nodig is en op het onderbewuste niveau van de recipiënt aanvaard wordt. Andere condities zijn er niet. Reiki is geen psychologisch fenomeen zoals hypnose of suggestie. De werkingen van de reiki-energie kunnen niet met het placebo- of een of ander suggestief effect verklaard worden. Zelfs het reiki-kanaal hoeft nergens in te geloven om de kracht te laten stromen. Het gebeurt allemaal automatisch en zonder voorwaarden.

'Is reiki magie?'

Een naar mijn idee kloppende definitie van magie luidt: 'Magie is de kunst om met de wil bewustzijnsveranderingen te veroorzaken' (Dion Fortune). In dat licht is reiki geen magie, want de processen, die in een hogere graad van bewustzijn resulteren, vinden uit zichzelf plaats volgens hun eigen dynamiek, zonder dat de wil er invloed op kan uitoefenen. Ze worden door de kracht van de levensenergie in beweging gebracht.

De volksmond definieert magie daarentegen als 'de kunst om natuurkrachten en -middelen te benutten ten einde wonderlijke successen te boeken'. Volgens die definitie is reiki een magische methode. Steekt achter de vraag de vrees om zich via reiki aan zwartmagische krachten over te leveren, dan kan ik alleen maar heel duidelijk stellen dat reiki daar helemaal niets mee te maken heeft. De essentie van reiki is grenzeloze liefde. De zogenaamde zwarte magie berust daarentegen uiteindelijk op de krachten van haat en angst.

'Wat gebeurt er eigenlijk bij de inwijdingen, die tijdens de reiki-seminaries gegeven worden?'

Bij de inwijdingen stelt de reiki-meester de inwijdeling als kanaal en bemiddelaar aan God ter beschikking. Wanneer dat je te verheven in de oren klinkt, kan ik het ook niet helpen. Ik kan het in ieder geval niet anders onder woorden brengen, want: het is zo. Dit contact met de godskracht is zo ingrijpend, dat iemand er in zijn allerbinnenste kern door geraakt wordt. Daar vindt de noodzakelijke verlossing van schuldgevoelens plaats, hetgeen een voorwaarde voor de kanalisering van de universele levensenergie is. Daarom ook leiden de traditionele inwijdingen bij de inwijdelingen tot zo'n enorme vergroting van hun liefdesvermogen en bewustzijn. Het bij de inwijding uitgevoerde ritueel is de met God overeengekomen sleutel voor het ontsluiten van de kracht der genezende liefde.

'Kan ik met reiki iemand schaden?'

Neen. Reiki is liefde en liefde schaadt niemand. Wanneer je echter de machtspretentie hebt alles en iedereen met 'jouw' reiki-kracht te kunnen genezen, en daarom noodzakelijke medische of therapeutische hulp niet of te laat inschakelt, kan je machtsaanspraak heel goed schade aanrichten. Reiki ontslaat je niet van de verantwoordelijkheid jegens jezelf en anderen die zich aan jou toevertrouwen.

'Stroomt er alleen reiki, wanneer ik van tevoren gebeden en de aura gladgestreken heb?'

Reiki stroomt altijd wanneer hij nodig is en toegelaten wordt. Condities van andere aard zijn er niet. De reiki-kracht is een geschenk. Voorwaarden zijn er niet aan verbonden.

'Kan ieder gezondheidsprobleem met reiki opgelost worden?'

Nee. Reiki kan veel, maar niet alles. Door reiki worden noch traditioneel medische, noch natuurgeneeskundige therapieën en diagnoses overbodig gemaakt. Wel worden ze zinnig aangevuld. Ernstige ziekten en alles wat daar ook maar op lijkt, behoren in handen van medisch opgeleide deskundigen gegeven te worden. In de handen van leken zijn preventie en kleinere aandoeningen (die immers anders ook zonder arts of natuurgeneeskundige worden behandeld) het hoofdgebied voor reiki. Ondersteunende reiki-doses voor kuren van uiteenlopende aard kunnen niettemin een grote hulp zijn.

'Wanneer ik reiki aan mijzelf geef, werkt dat niet. Waar ligt dat aan?'

Reiki belemmert je individuele vrijheid van keuze geenszins. Wanneer je bewust of onbewust wilt dat een ander zich om jou bekommert, zul je je voor je 'eigen' reiki afsluiten. Het gaat je dan niet om het oplossen van het schijnbare probleem, maar om de bevrediging van een verlangen naar intimiteit. Dat is volstrekt legitiem en je moet het van jezelf accepteren. Reiki kan en mag voor jou intimiteit niet vervangen.

'Stroomt er bij iedereen evenveel reiki?'

Nee. De inwijdingen vergroten bij iedereen het vermogen tot het doorgeven van de levensenergie nogal aanzienlijk en brengen het op een niveau dat hem zekere mogelijkheden tot werkzaamheid biedt. Dat is de fundamentele opening. Ze kan niet meer 'teruggedraaid' worden. Wanneer je veel reiki geeft, zal daardoor je vermogen om de kracht te kanaliseren toenemen. Ook die vergrote capaciteit is dan 'blijvend ingebouwd' en kan niet afgenomen of ingeperkt worden.

Door de inwijdingen in de 2e en 3e graad wordt de opening voor de universele levensenergie telkens verder uitgebreid. Met de symbolen van de 2e graad kan de krachtstroom nog eens extra versterkt worden.

'Ik voel me de laatste tijd moe, wanneer ik veel reiki heb gegeven. Hoe komt dat?'

Elke keer dat je reiki kanaliseert, krijg je zelf ook je portie van de kracht. Ook bij jou voltrekken zich genezingsprocessen zodra je je handen oplegt. Een genezende reactie eist voor de duur ervan de energieën van je lichaam op. Geef jezelf veel reiki om je organisme te helpen en gun je de tijd en rust voor je ontwikkeling. Hoe meer je met reiki werkt, des te minder 'energievretende' reacties er bij je losgemaakt worden. Je energiekanalen kunnen hoe langer hoe meer aan en kunnen meer presteren (zie laatste vraag).

'Kan de reiki-inwijding ongedaan gemaakt worden?'

Nee. De reiki-inwijding wordt door God voltrokken. De reiki-meesters stellen zich als kanaal ter beschikking voor Zijn kracht. Door de inwijding gaan God en mens een duurzame band aan. Uiterlijke factoren en fenomenen, van welke aard ook, kunnen God niet beïnvloeden. De reiki-inwijdingen kunnen evenmin teruggedraaid worden op grond van vermeende schuld of 'verkeerd handelen' of wegens andere 'moralistische' redenen.

'Ik merk dat reiki mij goed doet. Desondanks neem ik er niet de tijd voor om mijzelf met reiki te behandelen. Wat is er mij aan de hand?'

Hoe sta je tegenover jezelf? Liefdevol? Gun je jezelf iets goeds? Vaak is dat in zo'n situatie niet het geval. Bevestigingen als 'Ik neem er de tijd voor, want ik houd van mezelf!' en 'Ik houd van mezelf en doe graag wat goeds voor mezelf!' kunnen helpen. Ook vind je baat bij het werken met rozekwartsen. Ga eens rustig zitten en denk na over je motieven (de werkelijke, niet de beruchte uitvlucht: 'Ik heb er toch geen tijd voor!'). Vaak is daarmee de eerste stap naar de oplossing van het probleem gezet. Helpt dat niet, volg dan je impuls en bekommer je zo veel om anderen tot het letterlijk je strot uitkomt en je een verlangen naar jezelf bespeurt. Mij heeft dat altijd goed geholpen. Wie een 'drang tot helpen' heeft, zal zich vroeger of later deze vraag moeten stellen - of anders zal hij opbranden!

Er is nog een andere mogelijkheid. Het kan zijn dat je het tempo van je groei te hoog vindt. Je wordt bang van je eigen mogelijkheden. Aangezien reiki je groei stimuleert, verberg je je ervoor. Doe het een tijdje kalm aan. Indien je wilt kun je je vrees voor ontwikkeling nader onder de loep nemen. Mettertijd zal de wens om jezelf reiki te geven zich weer aandienen. Rust én beweging hebben beide hun zin; het ene kan zonder het andere niet bestaan.

'Ik ben er bang voor dat ik met reiki ingrijp in mijn karma of het karma van iemand anders. Kan dat gebeuren'

De essentie van reiki is liefde en daar kan niet mee gesjoemeld worden. Wordt er een karmische belasting door reiki weggenomen - uitstekend. Nieuwe belastingen van deze aard kunnen door reiki niet veroorzaakt worden. Wel echter door de machtspretenties van mensen die met reiki omgaan. Deze beide zaken moet men goed uit elkaar houden. Wanneer ik iemand tegen zijn wil behandel, schep ik daardoor karma voor mezelf. Voor de ander kan ik dat niet scheppen. Daartegen beschermt de reiki-kracht.

'Wat heb ik eigenlijk aan die hele toestand met edelstenen en geuren en mediteren? Kan reiki het niet allemaal ook alleen?'

Dat kan reiki zeker. Maar om zoiets te bewerkstelligen, moet reiki ten eerste toegepast en ten tweede toegelaten worden. Daar bepaalde mensen zich liever en vaker met reiki bezighouden wanneer het allemaal aangenaam verpakt is, en ons onderbewuste dikwijls verleid en nieuwsgierig gemaakt wil worden voordat het besluit reiki toe te laten, kunnen de in dit boek beschreven methoden heel veel aan de werkzaamheid van reiki bijdragen. Ik ben geen purist en ben in mijn methoden altijd op hun effectiviteit afgegaan. Natuurlijk hoeft dat niet jouw weg te zijn... Doe wat je wilt en wat je leuk vindt, zolang het anderen maar niet hun ontwikkelingsmogelijkheden ontneemt!

Hoofdstuk 16

MIJN ONTMOETING EN ONTWIKKELING MET REIKI

Je hebt het 'reiki-handboek' gelezen of er minstens wat langer door gebladerd en het een of andere gevoel erover gekregen. Misschien wil je daarom nu horen hoe ik tot reiki kwam en wat het werken met de reiki-kracht voor mij persoonlijk betekent. Zulke verslagen zijn immers altijd ook een hulp en dat is ook de bedoeling met mijn verslag.

Ik kwam bij reiki en de natuurgeneeswijze uit zoals dat bij zovelen gaat: met persoonlijke problemen en omdat de traditionele geneeskunde er geen antwoord op had.

Enkele jaren geleden stond het er met mijn gezondheid ellendig voor. Elke morgen had ik al meteen na het opstaan het gevoel alsof er 'een paard over me heen was gelopen'; ik kon de dag slechts met veel koffie doorkomen en had 's avonds nergens meer zin in.

Ik ging drie artsen af. Het resultaat: ze vertelden met alle drie dat ik niets mankeerde, in ieder geval konden ze niks vaststellen, en bovendien liep ik al tegen de 26... U begrijpt toch wel, nietwaar, dan doen altijd de eerste slijtageverschijnselen hun intrede. Dat was, dacht ik althans aanvankelijk, schertsend bedoeld. Mooi niet dus - de heren doktoren meenden het serieus.

Na enkele andere dwaalsporen kwam ik ten slotte in de praktijk van de natuurgeneeskundige Horst Kosche. Daar maakte ik voor de eerste keer kennis met consequent toegepaste natuurgeneeswijze. Na een nauwgezette iriscopische diagnose en dito bloedonderzoek stelde hij vast dat een stofwisselingsziekte de oorzaak van mijn problemen was. Daarop behandelde hij mij met veel succes. Onder de behandeling had ik vaak gelegenheid om met hem en zijn vrouw Sabine te praten. Mettertijd leerde ik zo mijzelf en mijn gezondheid vanuit een ander, namelijk holistisch perspectief te bezien.

Op een dag ontdekte ik in de wachtkamer een oorkonde betreffende de 1e reiki-graad. Acupunctuur, chiropraktijk en homeopathie kende ik intussen zo'n beetje, maar reiki? Wat was dat nu weer? Dat woord had ik nog nooit gehoord.

Toen ik ernaar vroeg, kwam ik te weten dat in de praktijkruimte kort daarop weer een reiki-seminarie gehouden zou worden en dat deelneming voor mij de moeite waard was.

Zonder er veel vanaf te weten gaf ik me op. Samen met mijn toenmalige levensgezellin en mijn huidige vrouw Manu begaf ik me toen op een vrijdagavond in de lente naar het seminarie.

Ongeveer twintig, op mij enigszins exotisch overkomende lieden waren er al. De reiki-meester Brigitte Müller, die het seminarie leidde, vond ik nog wel het meest exotisch. Geheel in violette pasteltinten (en bovendien zeer elegant) gekleed, strookte zij helemaal niet met mijn toenmalige voorstelling van een seminarieleidster.

Het seminarie vond ik heel interessant. Er werden vele nieuwe dingen aangeroerd. Een wichelroedeloper vertelde in de pauze over zijn ervaringen en wees de aanwezigen op de mogelijkheden van radiësthesie, enkele anderen deden verslag van een huna-seminarie, dat ze kort daarvoor bezocht hadden, en een zeer mondaine jonge vrouw leverde een bijdrage met haar ervaringen als spirituele genezeres.

De mensen daar gingen ook zeer uitzonderlijk met elkaar om. Allen omhelsden elkaar ter begroeting. Zelfs de mannen! De atmosfeer was warm en liefdevol en de omgang tussen de aanwezigen ongedwongen en hartelijk.

De inwijdingen waren voor mij geen buitengewone ervaring. Het piepte of bromde een beetje in me, toen Brigitte mij tijdens de inwijdingsrituelen haar handen oplegde. Maar ik zag geen licht en hoorde geen stemmen.

Daarover was ik enigszins teleurgesteld. Het liefst had ik een goddelijke openbaring gehad, bij voorkeur in 3-D, door de Berliner Philharmoniker muzikaal begeleid. Niet dus. Mijn handen kriebelden ook niet. De anderen vertelden over hun nieuwe ervaringen en lieten ze door Brigitte uitleggen. Ik merkte niets.

Verward en alles bij elkaar ontgoocheld (ja, drommels nog aan toe, waarom kriebelen mijn handen niet!) verliet ik tegen het eind van de zondagmiddag met mijn oorkonde en de reiki-grondslagen in de hand de seminarieruimte. 'Was heel leuk, vooral die maffe mensen!' dacht ik, 'maar voor de rest een vrij duur weekendje.'

Toen ik de volgende ochtend met de auto naar mijn werk reed, voelde ik me heel wonderlijk. Zodra ik iets langer dan een paar seconden beetpakte, begonnen mijn handen nu daadwerkelijk te kriebelen en ik merkte een wonderlijk, nooit eerder ervaren trekken en stromen in me. Hield ik het contact langer in stand, dan kriebelden ten slotte mijn armen helemaal tot aan mijn schouders, alsof ze aan het slapen waren. Van het gewoonlijk daarmee gepaard gaande gevoel van verdoving echter geen spoor te bekennen!

Er was dus toch wat in het weekend gebeurd!

Een zelfde verrassing ervoer ik in de zelfervaringsgroep, waaraan ik sinds enige tijd deelnam. Liefdevol, ongedwongen contact met de anderen had ik voor het seminarie heel erg moeilijk gevonden. Nu kon ik echter opeens een vrouw die huilde omarmen en troosten. Voordien had ik altijd zo lang zitten dubben of ik het wel durfde en moest doen, dat zij zich al weer herpakt had. Mijn gevoelens en reacties kwamen plots veel spontaner naar buiten.

In de loop van de volgende maand gaf ik veel reiki. Vaak schonken Manu en ik elkaar reiki-sessies om onze nieuwe vermogens samen te delen. Het was een prachtige belevenis de ander reiki te geven of zelf reiki te krijgen. Ondanks mijn veelvuldige omgang met de kracht en al de effecten die ik zag en voelde, moest ik voor mezelf telkens weer opnieuw bewijzen dat reiki er echt was en stroomde, wanneer ik mijn handen ergens oplegde. Zo hield ik, als het maar eventjes mogelijk was, mijn handen op mijn lichaam om de kracht te voelen en behandelde vaak de kamerplanten in ons huis, terwijl ik reiki dan bijzonder duidelijk waarnam.

Definitief werd mijn twijfel echter weggenomen door een enigszins dramatische gebeurtenis.

Manu had op een dag enorme pijn in haar onderlijf. Zij kon nauwelijks nog lopen en reageerde op elke schok. Een bloedbezinking en manueel onderzoek wezen een fikse ontsteking in de streek van de linkereierstok uit. Precies wegens zo'n ontsteking had Manu een klein jaar daarvoor vele weken in het ziekenhuis moeten liggen! Zij had nu grote angst voor een operatie en een antibioticakuur. Bovendien zouden we enkele dagen later op vakantie gaan. Die zou natuurlijk in het water vallen indien ze niet gezond was. De diagnose werd op maandagmiddag gesteld en Manu moest de volgende ochtend naar haar gynaecoloog, die haar naar een ziekenhuis moest verwijzen.

Uiteraard hadden we reiki al geprobeerd, maar de resultaten waren niet noemenswaardig geweest. In onze nood herinnerde we ons onze reiki-meester Brigitte Müller. Zij had het er tijdens de inwijding in de 1e graad over gehad, dat de in de 2e graad ingewijden de mogelijkheid hadden om de reiki-kracht over elke gewenste afstand zonder lichamelijk contact te zenden en met behulp van een andere techniek enorm te versterken. Omdat we niemand anders met de 2e graad kenden, belden we haar op en vroegen om een behandeling op afstand diezelfde avond nog. Op het afgesproken tijdstip ging Manu op haar bed liggen en ik gaf haar nog extra reiki op de buik. De eerste vijf minuten gebeurde er weinig. Maar toen steeg de energie als een golf in mijn arm omhoog en trok tot aan mijn hartstreek. Manu bespeurde een grote warmte en een sterke energiestroom in haar buik. Zoveel reiki hadden we nog nooit meegemaakt. Na ongeveer drie kwartier beëindigden we de sessie en gingen slapen.

Toen ik de volgende morgen naar het werk ging, sliep Manu nog, want ze hoefde pas later naar de dokter. 's Middags belden we met elkaar en zij was door het dolle heen. Haar gynaecoloog had alleen absoluut normale waarden kunnen vaststellen!

Ook röntgen- en manuele onderzoeken leverden niets op! En zonder meer het beste: sinds het wakker worden merkte Manu geen enkele klacht meer. Zij kon weer lopen en trappen opgaan. Kennelijk was de ontsteking van de ene op de andere dag totaal genezen.

We brachten daarna samen een prachtige en ongestoorde vakantie in Frankrijk door. Van toen af stond het voor ons vast dat we bij de eerste de beste gelegenheid een inwijding in de 2e reiki-graad zouden bezoeken. Reiki zou een vast bestanddeel van ons leven worden.

Sedertdien is er veel gebeurd. We deden samen de 2e graad en waren vaak in de gelegenheid om ons over de effecten van reiki bij onszelf en anderen te verwonderen. Op den duur verdwenen er vele pijntjes en we werden steeds gezonder. Ergens onze handen opleggen, dat was al gauw de gewoonste zaak van de wereld, zodat we er niet meer bij stilstonden of de reiki-kracht ook die keer zou werken. Andere en ingrijpender groeiprocessen kwamen veel meer in het brandpunt van onze interesse te staan.

Na verloop van tijd bespeurde ik de wens om zelf reiki-meester te worden. Ik wilde graag bijdragen aan het verdergeven van dit prachtige vermogen, dat mij en anderen zoveel geholpen heeft. Een goed jaar lang werd ik toen getraind door Brigitte Müller, die intussen van de reiki-grootmeester Phyllis Furumoto toestemming had gekregen om meesters op te leiden en in te wijden.

Deze meestertraining was weer heel anders dan ik me voorgesteld had. Mijn beeld van een reiki-meester was vast en star geweest. Tijdens de opleidingstijd leerde ik de taken en mogelijkheden van een reiki-meester beter begrijpen. Het werd me duidelijk dat er niet zoiets is als de 'ideale en unieke reiki-meester'. Ik moest zelf in mij naar mijn mogelijkheden zoeken. Brigitte was daarbij een grote steun. Ze schuwde geen enkele confrontatie en stelde me zonder concessies haar weg als reiki-meester ten voorbeeld.

Zo had ik in haar mijn voorbeeld. En dat voorbeeld was: het zonder voorbeeld klaarspelen. Want haar manier om reiki te onderrichten is niet mijn manier. Ze is niet beter of slechter, maar simpel anders, gewoon Brigittes manier. Die zelfrealisering hielp me mijn projecties te laten vallen en mezelf te vinden.

Daardoor ontwikkelde ik ook een ander concept van het effect van de inwijdingen: met elke reiki-inwijding vindt een genezings- en groeiproces plaats. Natuurlijk draagt iedereen zijn eigen lasten en ziektekiemen in zich, waarvan hij genezen moet worden. Daarom zal hij ook op een andere wijze groeien dan andere mensen. Niet iedereen die in de 2e graad ingewijd is, is daardoor automatisch 'genezender' of 'wijzer' dan iemand anders die 'slechts' de 1e graad bezit.

Evenmin hoeven reiki-meesters zich per se verder ontwikkeld te hebben dan iemand zonder reiki of mensen met de 1e of 2e graad. Er zijn zovele wegen om te leren en te groeien. Reiki is er een van. Wel een zeer effectieve, zekere en mooie, maar niettemin slechts een tussen de vele andere, die mensen in verbondenheid met God gecreëerd hebben.

Dat inzicht probeer ik ook in mijn seminaries over te brengen, omdat het voor mensen zo uiterst belangrijk is op eigen benen te kunnen staan. En niet hun gevoel van eigenwaarde aan de een of andere getuigenis of graad te ontlenen. Reiki kan aan iedere methode tot genezing en groei veel bijdragen. Hij kan als een 'turbocompressor' werken en zelfontdekkingsprocessen versnellen. Reiki is echter, evenals alle technieken ter bevordering van groei en zelfontdekking, niet de groei en zelfontdekking en het leven zelf. Hij helpt levendig te zijn en het leven te begrijpen. Maar reiki vervangt niet de ervaringen van het leven en het contact met anderen. Een wijs mens heeft ooit eens gezegd dat verlichting niet gegeten, gepresteerd, gemediteerd of anderszins geschapen kan worden. Mensen zijn op deze wereld om te leven. Niet om uitsluitend te mediteren, zichzelf reiki te geven en aan niets anders dan het bereiken van het Nirwana te denken.

Verlichting is een geschenk. Ze komt over ons wanneer we overvloedig en intensief het leven ervaren hebben. Ze komt over ons wanneer het in holistische zin goed voor ons is.

Wanneer je reiki als hulp in je leven aanvaardt, zal zijn kracht je altijd bij je opgaven bijstaan. Valt reiki voor jou niet te accepteren, dan zijn er nog vele andere wegen, en ik wens je toe dat je de voor jou passende snel en zeker zult vinden. Laat je niet wijsmaken dat je minder waard zou zijn, omdat je de een of andere vorming niet hebt gehad.

Dit boek verwezenlijkt een lang gekoesterd idee. Sinds ik reiki-kanaal ben geworden, heb ik altijd met zeer veel vragen gezeten. Aangezien er meestal niemand was die ze kon beantwoorden, moest ik het zelf uitzoeken en verklaringen zien te vinden. Zo kwam ik op grond van gesprekken, boeken, seminaries en levenservaringen stil aan tot de in dit boek bijeengebrachte onderwerpen. Wanneer ik met anderen over mijn inzichten sprak, merkte ik dat hun zin om zich met reiki bezig te houden er groter door werd. Ze konden effectiever gebruik van reiki maken en door de kennis van de reiki-filosofie mogelijkheden en grenzen van de kracht realistischer beoordelen. Uit die belevenissen ontstond bij mij het idee om geïnteresseerde reiki-vrienden in seminaries te onderrichten in reiki-do, de weg der genezende liefde en een richtsnoer voor praktisch reiki-werk.

Nadat ik tot reiki-meester ingewijd was, ben ik meteen begonnen voor andere weetgierigen een voorbeeldcursus te concipiëren. Die reiki-cursus is ten slotte in dit boek uitgemond.

Ik hoop dat het vele vragen beantwoordt die wegens tijdgebrek in de seminaries niet opgehelderd kunnen worden. Ik zal me ten zeerste over reacties van lezers verheugen, zodat ik het 'reiki-handboek' verder kan verbeteren. Ook toevoegingen zijn welkom. Pak de pen dus! O ja, ik heb er heel bewust van afgezien 'man/vrouw', 'therapeut(e)' enz. te schrijven. Ik vind dat dat iedere tekst alleen maar onleesbaar maakt. Ik ben een man, en dus gebruik ik grammaticaal voornamelijk het mannelijk geslacht, zoals een vrouw er de voorkeur aan kan geven het vrouwelijk te hanteren.

Liefde en licht op je weg worden je toegewenst door

Walter Lübeck

Appendix

Therapeutische index

Hier wordt aangegeven welke posities voor de behandeling van diverse symptomen geschikt zijn. Voor bepaalde symptomen hebben enkele posities van de algehele behandeling zich als bijzonder effectief bewezen. Je kunt ze bij de algehele behandeling langer vasthouden of ook apart toepassen.

Als vuistregel geldt: acute problemen hebben minder sessies nodig, die kort op elkaar moeten volgen. Chronische ziekten dienen in het begin met minstens vier opeenvolgende algehele behandelingen aangepakt te worden en daarna naar gelang van de ernst van de ziekte een tot drie keer per week. Tot op zekere hoogte kun je per jaar ziekte een maand lang regelmatige reiki-sessies rekenen (al naar gelang van de constitutie en stand van ziekte iets meer of minder). Denk eraan dat er vaak tientallen jaren voorbijgaan voordat kanker zich werkelijk openbaart. De incubatietijd kun dus heel lang zijn en daar moeten we bij onze overwegingen betreffende de duur van de behandeling rekening mee houden. Het lichaam slaat in de meeste gevallen niet binnen enkele weken radicaal om. Opdat het dat inderdaad kan, moet eerst ook de persoonlijkheid van je cliënt veranderen en over de ziekte heengroeien. Dat vergt tijd en geregelde hulp.

Bij levensgevaarlijke ziekten zijn de volgende extra behandelingen belangrijk: chakrabalancering en gericht reiki-werk aan de 1e en 6e chakra.

Bij alle misvormingen, van welke aard ook, dient de behandeling ook de chakrabalancering en gericht reiki-werk aan de 2e en 5e chakra te omvatten.

Bij alle aandoeningen die het lichaam of de geest geheel of gedeeltelijk in zijn expressie belemmeren/verlammen, moeten de chakra's in evenwicht gebracht worden en dient er gericht aan de 1e, 3e en 5e chakra gewerkt te worden.

Bij alle aandoeningen van de lichaamsvloeistoffen (bloed / lymfevocht / speeksel / verteringssappen / transpiratie / droge huid / urine / diarree / verstopping) behoort beslist ook gericht reiki-werk aan de nieren en de 2e chakra tot de behandeling.

Bij zenuw- en geestesziekten dienen de zonnevlecht, hara en leverstreek gericht behandeld te worden.

Reiki-behandelingen vervangen geenszins het bezoek aan de dokter, natuurgeneeskundige of psychotherapeut! Ernstige kwalen en alles wat daar op uit kan lopen, behoren door competente deskundigen gediagnostiseerd en behandeld te worden!

Aambeien: plaatselijk met reiki behandelen en posities 6, 8, 11, 12, 14, 16 en 17 uitvoeren.

Acne: je begint met enkele algehele behandelingen op achtereenvolgende dagen. Daarna laat je dagelijks of in ieder geval om de dag op de ziektehaard plaatselijk reiki stromen en geeft regelmatig de posities 5, 6, 8, 10 en 13.

Ademhalingsklachten: posities 4, 9 en 17 toepassen.

Ademnood: posities 4, 8 en 17 uitvoeren; ter aanvulling behandeling van de schoudergordel.

Aids: dagelijks algehele behandelingen zijn beslist noodzakelijk! Aanvullend posities 8, 9, 10, 13, 14 en 17 uitvoeren.

Allergieën: in het begin van de therapie geef je enkele algehele behandelingen. Daarna geef je plaatselijk reiki op de ziektehaard en vult dat regelmatig aan met de posities 1, 5, 8 en 10.

Amandelontsteking (zie ook onder 'ontsteking'): posities 1, 3, 5, 9 en 13 gebruiken.

Amputaties: stomp en protese (als ware ze het weggehaalde ledemaat) in gelijke mate behandelen, aanvullend posities 1, 8 en 14 uitvoeren.

Anemie: enkele algehele behandelingen; daarna posities 4, 6 en 7 toepassen en reiki in de kruin laten stromen.

Angina pectoris: de reiki-kracht in het middenrif en bovenkant van de rug laten stromen en posities 2, 3, 5 en 8 geven.

Angst: posities 8, 13, 14 en 17 uitvoeren; bij extreme angstaanvallen extra de handen op de schedel opleggen; wil je daarentegen angst voor intimiteit wegnemen en je cliënt helpen zich op gezonde wijze te kunnen openen en afsluiten, dan behandel je de ellebogen (buiten- en binnenkant).

Antibiotica (bijwerkingen): enkele algehele behandelingen op achtereenvolgende dagen, daarbij en daarna posities 5, 6, 8, 9, 10 en 13 uitvoeren. Zijn de acute klachten in verregaande mate verdwenen, dan dienen lever en nieren nog een tijd lang een of twee keer per week afzonderlijk behandeld en positie 17 gegeven te worden.

Artritis: algehele behandelingen zijn beslist noodzakelijk; ter aanvulling laat je reiki plaatselijk binnenstromen en voer je posities 13 en 17 uit.

Artrose: zowel plaatselijk als met de posities 13, 14 en 17 behandelen.

Astma: posities 1, 4, 9 en 10 toepassen.

Bedwateren: posities 5, 8, 10, 11 en 13 geven. Ook de ouders of verzorgers moeten een zekere tijd met reiki behandeld worden.

Beenbreuken: pas na het zetten, dan echter veelvuldig langere tijd lokaal met reiki; aanvullend posities 1, 6, 14 en 17 geven.

Benen: gericht reiki-werk aan het 'derde oog'. Ter aanvulling posities 1, 14, 15, 16, 17 en speciale positie voor ischias uitvoeren.

Beroerten: reiki laten stromen aan de kant van het hoofd die tegenover de door de beroerte getroffen lichaamszijde ligt (de rechterkant van het hoofd voor de linkerlichaamszijde dus en vice versa). Onverwijld er een dokter bij halen!

Bevriezing: posities 1, 8, 13, 14 en 17 toepassen. Bij veelvuldig bevriezen zonder externe oorzaak (onderkoeling) dient de 2e chakra gericht van reiki voorzien te worden.

Bewusteloosheid: reiki aan de bovenkant de grote teen laten binnenstromen; aanvullend posities 5, 8, 14 en 17 uitvoeren.

Blaas: posities 4, 10, 11, 14 en 16 uitvoeren; bij chronische klachten is ter aanvulling gericht reiki-werk aan de 2e chakra aan te raden.

Blindedarmontsteking (zie ook 'ontstekingen'): er onverwijld meteen een dokter bijhalen! Tot dan plaatselijk behandelen of bij sterke klachten posities 13 en 17 uitvoeren (in het midden tussen knie en enkel op het scheenbeen).

Bloeddruk: bij te hoge bloeddruk posities 5, 6 en 17 uitvoeren; bij te lage bloeddruk posities 11, 12, 14 en 17.

Bloedingen: de reiki-kracht in de wond(en) laten trekken; bij groot bloedverlies ook posities 1, 5, 7, 13 en 17 geven. Reiki maakt gewone eerste hulp bij bloedingen niet overbodig!

Bloedsomloop: posities 1, 5, 6 en 8 toepassen; de reiki-kracht in de schouderkoppen, onder de borsten, een handbreedte onder de oksels en aan de binnenkant van de bovenbenen in het kruis laten stromen. Aanvullend beide handen rechts en links van de kruin opleggen.

Borstgezwellen: veelvuldig algehele behandelingen geven; ter aanvulling posities 10, 14 en 17 uitvoeren. Bovendien is gericht reiki-werk aan de 2e en 4e chakra belangrijk.

Brandwonden: plaatselijk behandelen, maar in geen geval aanraken! Bij zware gevallen ook regelmatig algehele behandelingen geven, vooral met de posities 1, 6, 9, 13, 14 en 17 werken.

Bronchiën: posities 1, 9 en 11 uitvoeren; aanvullend de handen onder de borst op de ribben opleggen.

Cariës: posities 1, 6, 10, 14, 15 en 17 gebruiken; aanvullend gericht aan de 1e chakra werken.

Chemotherapie (bij kanker): voor en enkele uren na het innemen behandelen. Bij langdurig innemen van medicijnen slechts gericht reiki-werk met de posities 6, 7, 9, 10 en 13. Bij eenmalig innemen achteraf enkele algehele behandelingen en aanvullend dezelfde posities als boven.

Congestie: posities 8 en 10 toepassen en de 2e en 3e chakra in evenwicht brengen.

Depressies: algehele behandelingen, aanvullend posities 1, 4, 10 en 17 toepassen.

Diabetes: speciale positie voor diabetes (ellebogen), daarnaast posities 1, 7, 9 en 17 toepassen.

Diarree: posities 6, 7, 8, 10 en 13 toepassen.

Dikke darmklachten: posities 4, 6, 7, 8, 10 en 14 uitvoeren; aanvullend kuitbeen van knie tot hiel behandelen.

Doofheid: met posities 3, 5 en 9 behandelen. Bij zware gevallen gericht reiki-werk aan de 5e chakra.

Duizeligheid: met posities 3, 6, 14 en 17 behandelen; beide handen dwars over de kruin leggen.

Eczeem (zie ook onder 'uitslag'): behandeling van borst en bovenkant van de rug.

Emfyseem: algehele behandelingen; de reiki-kracht in de sleutelbeenderen, borstkas en rug laten stromen; bovendien met de posities 5 en 17 werken.

Epileptische aanvallen: posities 4, 5 en 8 toepassen; aanvullend reiki in de polsen en het gedeelte van de wervelkolom tussen de schouders laten stromen.

Evenwichtsstoornissen: posities 3 en 6 toepassen en beide handen op de kruin opleggen.

Frigiditeit: posities 1, 8 en 14 toepassen. Aanvullen met gericht reiki-werk aan de 2e en 5e chakra. Bovendien moeten beide partners regelmatig algehele behandelingen krijgen en bij het chakrawerk betrokken worden. De oorzaken van moeilijkheden in het seksuele leven van twee mensen moeten bijna altijd bij beide partners gezocht worden.

Galklachten: posities 1, 6, 12, 15 en 17 toepassen. Bij chronische stoornissen is bovendien gericht reiki-werk aan de 3e chakra aan te bevelen.

Geboorte: algehele behandelingen van tevoren; daarnaast posities 8, 10, 13 en 14 gebruiken. Reiki helpt de aanstaande moeder zich te ontspannen en vergemakkelijkt het openen van het bekken. Daardoor verloopt het baren met minder pijn, terwijl het kind gemakkelijker in ideale positie komt te liggen.

Geheugen: bij een zwak geheugen of geheugenverlies dienen de handen dwars over de schedel opgelegd te worden.

Geslachtsziekten: moeten geregistreerd worden en mogen alleen door een dokter behandeld worden! Aanvullend kunnen ze met gericht reiki-werk aan de 1e, 2e en 6e chakra behandeld worden (zie ook onder 'ontstekingen').

Gespannenheid: plaatselijk en met posities 1, 8, 12 en 13 behandelen; bij chronische kramp met reiki-werk aan de 6e chakra aanvullen.

Gewichtsproblemen: posities 1, 5, 8, 10, 12, 14 en 16 gebruiken; aanvullend met reiki gericht aan de 2e en 5e chakra werken.

Glaucoom (groene staar): reiki in de oogstreek laten stromen; met posities 1 en 5 werken; verder gericht reiki-werk aan de 2e en 6e chakra; en ten slotte nog de grote tenen van top tot gewricht behandelen.

Griep: algehele behandelingen (zie ook onder 'ontstekingen', 'koorts' en 'verzwakking').

Haaruitval: reiki lokaal laten stromen; verder posities 10, 13 en 16 gebruiken.

Hartaanval: boven- en onderbuik (in geen geval direct het hart!) met reiki behandelen en daarnaast de posities 6, 8, 11 en 13 uitvoeren. (Dit kan echter alleen eerste hulp zijn, totdat er een dokter is gearriveerd!)

Hartbeklemming: reiki aan beide kanten van de romp, ongeveer een handbreedte onder de oksels laten stromen; posities 2, 3, 9, 11 en 13 toepassen.

Hartinfarct: reiki in de boven- en onderbuik laten stromen en positie 13 geven.

Hartklachten in het algemeen: bij alle vormen van hartklachten geldt het gericht behandelen van de 2e en 4e chakra. Bovendien dient de cliënt bij alle pijn aan het hart een dokter of geneeskundige te raadplegen.

Hartvergroting: de reiki-kracht boven de tepels binnen laten stromen en met posities 2 en 3 werken.

Heesheid: plaatselijke toepassing; bij veelvuldige heesheid gericht reiki-werk aan de 5e chakra.

Hepatitis (leverontsteking): dezelfde behandelingsmethoden als onder 'ontsteking' en 'lever'; aanvullend gericht aan de 1e en 3e chakra werken en positie 12 uitvoeren.

Hersenvliesontsteking (zie ook onder 'ontsteking'): de grote tenen en duimen met reiki behandelen, daarnaast posities 1 tot en met 4.

Hik: armen naar boven, de ene hand op de zonnevlecht en de andere daaroverheen. Bij vaak terugkerende hik aanvullend met positie 4 werken.

Hoesten (zie ook onder 'ontsteking'): reiki in de bovenkant van de rug laten stromen; daarnaast posities 1, 5 en 9 toepassen.

Hoofdpijn: posities 1, 4, 11, 12 en 17 uitvoeren. (Je hoeft ze niet in alle gevallen te gebruiken, maar kunt je tot de in het desbetreffende geval effectiefste beperken.)

Hoogtevrees: posities 2, 4, 8 en 10 uitvoeren.

Hooikoorts (zie ook onder 'allergieën'): regelmatig met de posities 1, 4, 10, 12, 13 en 16 behandelen.

Huid: plaatselijke toepassing en gericht reiki-werk aan de 2e chakra (zie ook onder 'ontgifting').

Hyperactiviteit: regelmatig algehele behandelingen geven; reiki in de kruin laten stromen; posities 2, 3, 6 en 8 toepassen; gericht aan de 5e chakra werken.

Hypoglycemie: met de posities 6 en 13 en de speciale positie voor diabetes werken.

Hysterie (zie ook onder 'paniek'): reiki in de beide polsen laten stromen; aanvullend enkele minuten lang krachtig de handen masseren; beide handen dwars over de schedel leggen; posities 8, 12 en 17 toepassen.

Impotentie: met de posities 1, 8, 10, 12 en 14 werken; in zware gevallen ook gericht reiki-werk aan de 2e en 5e chakra. Het beste is dat beide partners in de behandeling worden betrokken, want seksuele problemen in relaties vinden hun oorzaken bijna altijd bij beide partners.

Ischias: met de speciale positie voor ischias behandelen.

Jicht: reiki in de zieke plaatsen laten stromen en posities 8, 12 en 13 uitvoeren.

Kanker (zie ook onder 'ontgifting'): regelmatig algehele behandelingen; daarnaast op de plaatsen in kwestie, wanneer ze precies af te bakenen zijn, reiki laten stromen. Extra intensief met de posities 6 en 8 werken en ook positie 9 15 tot 20 minuten vasthouden. Voorts gericht reiki-werk aan de 4e chakra en chakrabalancering van alle chakra's met de 4e chakra. Bij verzwakking posities 14 en 17 gebruiken en chakrabalancering aan de 1e en 6e chakra uitvoeren. Bij tongkanker de reiki-kracht ook door de voeten laten opnemen. Bij borstkanker en kanker in het urogenitale systeem aanvullend intensief met de posities 10, 14 en 16 werken en door gericht reiki-werk de 2e chakra aanvullen.

Kankerzweren: de reiki-kracht in de voetzolen laten trekken; daarnaast regelmatig maar kort (enkele minuten) lokale behandelingen geven.

'Kater': (ten gevolge van alcohol- of drugmisbruik) reiki één handbreedte boven de enkels laten stromen en de bovenkanten van de tweede tenen met reiki behandelen (zie ook onder 'ontgifting', 'hoofdpijn', 'misselijkheid' en 'verteringsstoornissen').

Keelpijn: plaatselijk met reiki behandelen, daarnaast de grote tenen van top tot gewricht.

Kiespijn: plaatselijk behandelen (zie ook onder 'cariës' en 'tanden').

Knieklachten: posities 15 en 17, alsmede de speciale positie voor ischias; bovendien beide knieën met de handen beetpakken, zodanig dat er reiki van alle kanten in kan stromen. Indien chronisch ook aan de 3e en 6e chakra werken.

Koorts: posities 1, 3, 5, 7 en 9 uitvoeren; bij hoge en/of lang aanhoudende koorts ter aanvulling algehele behandelingen en posities 14 en 17. Vaak stijgt de koorts na een reiki-sessie eerst, om daarna snel te zakken (zie ook onder 'ontstekingen').

Kramp: lokaal met reiki behandelen (bij vatbaarheid voor kramp beslist een dokter bezoeken!) en aanvullend posities 1, 6, 12, 13, 15 en 17 geven, alsmede gericht met reiki aan de 6e chakra ('derde oog') werken.

Krop: reiki twee handbreedten boven de enkels binnen laten stromen; met posities 5, 9, 10 en 14 werken.

Leukemie: regelmatig algehele behandelingen geven; intensief met de posities 6, 8, 10, 14, 16 en 17 werken; gericht reiki-werk aan de 1e en 2e chakra.

Leverklachten: posities 6, 8 en 12 gebruiken.

Littekens: plaatselijk behandelen en posities 5, 8 en 9 geven.

Longontsteking (zie ook onder 'ontsteking'): medische hulp is absoluut noodzakelijk! Ter ondersteuning reiki voor in de borstkas en achter in de bovenrug laten stromen; ook polsen en duimgewrichten met reiki behandelen. (De sessies moeten dagelijks plaatsvinden en minstens 10 minuten duren.)

Loomheid: algehele behandelingen; bovendien vooral posities 6, 10, 14 en 17 gebruiken. Voorts reiki één handbreedte onder de knieschijven aan de voorkant van de benen laten stromen.

Maagklachten: posities 6 en 8 uitvoeren; indien chronisch, met gericht reiki-werk aan de 6e chakra en positie 12 uitbreiden.

Medicijnen (bijwerkingen en overbelasting door chemische middelen): als het om chemische geneesmiddelen gaat waarvan de effectiviteit van hun langdurige aanwezigheid in het lichaam afhangt (zoals macumar, digitalispreparaten of chemotherapeutica), mogen er geen langere algehele behandelingen gegeven worden; wel kun je met posities 5, 6, 13, 14 en 17 werken (zie ook onder 'ontgifting'). Organische schade door medicijnen direct plaatselijk behandelen en algehele reiki-behandelingen geven.

Menstruatieklachten: posities 6, 8, 10, 12, 14, 16 en 17 toepassen; voorts gericht reiki-werk aan de 2e chakra. Bij plaatselijke behandeling kan er sprake zijn van sterke krampen/pijn, die veroorzaakt worden door de angst voor aanraking en de beweging. Dan kun je beter posities 16 en 17 gebruiken.

Migraine (zie ook onder 'hoofdpijn'): met posities 10, 14 en 16 werken.

Miltklachten: positie 8 gebruiken en de 2e chakra gericht met reiki behandelen.

Misselijkheid: posities 6 en 8 gebruiken; wagenziekte: met posities 3 en 6 werken; handen op de schedel opleggen.

Mond: plaatselijk behandelen en positie 1 gebruiken; reiki ook in de grote tenen en duimen laten trekken.

Multiple sclerose (zie ook onder 'ontsteking'): speciale positie op de kruin gebruiken; daarnaast gericht reiki-werk aan de 6e chakra. Zijn er twee reiki-kanalen voor de behandeling beschikbaar, dan legt de een de handen op het hoofd op en de ander op de voetzolen. Algehele behandelingen en lokale behandelingen van de getroffen gebieden zijn aanbevelenswaardig. Posities 1, 4 en 8 gebruiken en tussen schouderbladen behandelen.

Nachtmerries: posities 2, 4, 8 en 10 toepassen.

Narcose: gedurende de narcose nooit en te nimmer met reiki behandelen! Er bestaat dan het gevaar dat de patiënt voortijdig wakker wordt! Van tevoren en nadien algehele behandeling; daarnaast posities 1, 6, 8, 14 en 17 gebruiken. Je kunt (als je cliënt wil) ook met deze posities alleen werken en van de algehele behandeling afzien.

Nekpijn: de reiki-kracht in de pijnlijke plek en de gewrichten van de grote tenen laten stromen; bovendien posities 8 en 10 toepassen.

Nervositeit: reiki laten stromen in de duimwortels, net onder de grote tenen en vanaf de kruin (daarvoor leg je beide handen dwars over het hoofd); aanvullend met de posities 1, 5 en 8 werken.

Neuralgie: plaatselijk en via de corresponderende reflexzones behandelen; verder de posities 1 en 17 en extra intensief positie 16 gebruiken.

Neurosen: veelvuldig en regelmatig chakrabalancering geven. Vaststellen welke chakra/welk orgaan de stoornis veroorzaakt en daar met gericht reiki-werk behandelen; voorts de posities 5, 8, 12 en 17 gebruiken. Algehele behandelingen met een week ertussen.

Neus: plaatselijk en met de posities 1, 6 en 9 behandelen; voorts gericht reiki-werk aan de 6e chakra. Bij bijholteaandoeningen ook met posities 10, 12, 14 en 16 werken en aanvullen met gericht reiki-werk aan de 2e chakra.

Neusbloedingen: plaatselijk en met posities 4, 5, 8, 11 en 12 behandelen.

Nieren: posities 1, 10, 13, 14 en 16 gebruiken; bij chronische klachten reiki-werk aan de 2e chakra.

Nymfomanie: posities 1, 5, 10 en 16 gebruiken; daarnaast gericht reiki-werk aan de 2e en 5e chakra.

Ongevallen: dokter bellen! Als eerste hulp de shock met posities 13 en 8 behandelen. De handen op geringe afstand vlak boven eventuele bloedingen houden, maar ze in geen geval aanraken (zie ook onder 'paniek' en 'angst').

Ontgifting: regelmatig algehele behandelingen op achtereenvolgende dagen tot de eerste geneesreactie intreedt (b.v. donkere urine met andere reuk, zweet, stoelgang, huidreacties). Veel zuiver water drinken, douchen en rust houden. Daarnaast de posities 1, 5 tot 10, 13, 14 en 17 uitvoeren. Zeer effectief is de behandeling van het middelste van de schoudergordel rechts en links naast de wervelkolom. (Bij verzwakte nier- en/of leverfunctie uitsluitend na afspraken met de arts/geneeskundige behandelen!).

Ontstekingen: plaatselijk, op de infectiehaard dus reiki laten stromen; aanvullend de posities 7, 9, 10, 14 en 17 uitvoeren. Bij chronische/zware ontstekingen ook posities 6 en 13 meenemen, alsmede de in de buurt liggende lymfklieren behandelen. Verder is gericht reiki-werk aan de 6e chakra ('derde oog') aan te raden. Chakrabalancering vooral aan de 1e en 6e chakra. Vraag een orakel naar opheldering over de beslissing, die aan iedere ontsteking ten grondslag ligt. Werken met amethisten en bergkristallen.

Ontwennen van roken: gericht reiki-werk aan de 6e en de 1e chakra; daarnaast met posities 1, 4, 5, 6, 8, 10, 13 en 17 werken.

Oogaandoeningen: posities 1, 2, 5, 10 en 17; aanvullend de reiki-kracht in de grote tenen en/of duimen laten stromen.

Operaties: van tevoren algehele behandeling en in het bijzonder met posities 8 en 9 werken. Voor de nazorg algehele behandeling. Reiki bovendien apart in de littekens laten trekken. Ook met posities 6, 8, 12-14 en 17 werken.

Oren: posities 1, 5 en 17 toepassen; reiki vooral laten stromen in het gebied tussen de grote tenen en enkels, aan de binnenkant van de voeten.

Paniek (plankenkoorts): reiki in de polsen en de buitenzijde van de knieën laten stromen; posities 4, 8, 12 en 13 gebruiken.

Peesschedeontsteking: plaatselijk behandelen; bij veelvuldig voorkomen ook posities 1 en 5 gebruiken en gericht aan de 6e chakra werken.

Pijn: plaatselijk en met posities 11 en 12 behandelen. Bij botpijn: de ene hand over de andere op de grote nekwervel. Bij heup- en beenpijn: reiki over heel de rug, alsmede aan de buitenkant van de heupen laten stromen. Bij armpijn: posities 11 en 12 gebruiken; reiki aanvullend in schouderkoppen en armen laten trekken.

Pleuritis (borstvliesontsteking): plaatselijk behandelen, reiki onder de oksels laten stromen en positie 1 gebruiken (zie ook onder 'ontsteking').

Prostaat: posities 1, 4, 10, 12, 14 en 16 gebruiken.

Pyrosis: posities 8 en 4 gebruiken.

Reuma: algehele behandelingen; voorts posities 8, 10, 13 en 15 toepassen.

Rugpijn: plaatselijk behandelen en posities 1, 11, 12, 15 en 17 gebruiken.

Scheuermann, ziekte van: algehele behandelingen; reiki vooral in de rug laten trekken; posities 10, 14 en 17 toepassen; daarnaast gericht reiki-werk aan de 1e chakra.

Schildklier: posities 1, 5, 9 en 12 gebruiken; verder gericht reiki-werk aan de 5e chakra.

Schok, elektrische: als eerste hulp polsen behandelen. Direct dokter bellen! (Zie ook onder 'hart' en 'shock'.)

Shock: als eerste hulp met posities 8 en 13 behandelen; daarna de buitenste schouderrand. Later laten volgen door algehele behandelingen en vooral posities 1, 4, 8, 10, 12, 14 en 17 gebruiken.

Slapeloosheid: posities 1, 2, 8 en 10 geven; reiki in het sleutelbeengebied laten stromen; bij veelvuldige slapeloosheid gericht aan de 3e chakra werken.

Slijmvorming: met posities 1, 6, 8, 12, 14 en 17 behandelen.

Steekwonden: plaatselijk behandelen; ingeval van shock ook met posities 8 en 13 werken. Voorts reiki in de schouderkoppen laten stromen.

Stijfheid: plaatselijk met reiki behandelen (bij opkomende kramp onverwijld een dokter inschakelen!) en aanvullend posities 1, 6, 12, 13, 15 en 17 toepassen, alsmede gericht met reiki aan de 6e chakra ('derde oog') werken. Gevoelloosheid (lichamelijk): de handen worden tussen de onderste rand van de schouderbladen en de wervelkolom opgelegd.

Stofwisselingsproblemen: algehele behandelingen zijn beslist noodzakelijk! Daarnaast posities 1, 5, 8, 14 en 17 gebruiken.

Stotteren: reiki links en rechts onder de sleutelbeenderen laten trekken; ook positie 5 gebruiken.

Strottehoofdaandoeningen: met positie 5 werken en de buitenkant van de grote tenen tot aan de enkel behandelen. Indien chronisch ook aan de 5e chakra werken.

Suikerziekte: zie onder diabetes.

Tachycardie: de polsen met reiki behandelen en posities 5, 8 en 17 toepassen.

Tanden: hebben hun eigen reflexzones, die uiteraard ook bij kiespijn (of cariës) met reiki behandeld kunnen worden. Het zijn: voor de snijtanden de grote tenen; voor de hoektanden de tweede tenen; voor de voorste kiezen de middelste tenen; voor de achterste kiezen de vierde tenen; voor de verstandskiezen de kleine tenen. Bovendien zijn de tanden energetisch met bepaalde organen en lichaamsstreken verbonden, die daarom bij tandziekten eveneens regelmatig reiki zouden moeten krijgen. Zijn alle tanden carieus, dan hebben we in de regel met een diepzittende en alle systemen van het lichaam omvattende stofwisselingsziekte te maken. Ter vergemakkelijking van de behandeling volgen hier de afzonderlijke corresponderende organen en lichaamsgebieden. **Snijtanden:** nier- en blaasmeridiaan, urogenitale systeem, oren, neusbij- en voorhoofdsholten, keelamandelen, stuitbeen, wortelchakra. **Hoektanden:** lever- en galblaasmeridiaan, ogen, heupen, borstwervelkolom, hypofyse, knieën, keelamandelen. **Voorste kiezen (boven):** long- en dikkedarmmeridiaan, neus, neusbijholten, bronchiën, handen, schouders, knieën, bovenste gedeelte van de wervelkolom, hypofyse en thymusklier. **Voorste kiezen (rechts en links beneden):** strottehoofd, borstklieren, keelholte, kiemklieren, lymfvaten, knieën, kaken en kaakholten. **Voorste kiezen (rechts beneden):** pancreas- en maagmeridiaan. **Voorste kiezen (links beneden):** milt- en maagmeridiaan. **Maaltanden (rechts en links boven):** kaken en kaakholten, knieën, schildklier, bijschildklieren, borstklieren. **Maaltanden (rechts boven):** pancreas- en maagmeridiaan. **Maaltanden (links boven):** milt- en maagmeridiaan. **Maaltanden (rechts en links beneden):** long- en dikkedarmmeridiaan, aders, neus, neusbijholten, bronchiën. **Verstandskiezen (rechts en links boven):** hart- en dunnedarmmeridiaan, middenoren, schouders, ellebogen. **Verstandskies (rechts boven):** centrale zenuwstelsel, twaalfvingerige darm. **Verstandskies (links boven):** onderste gedeelte van dunne darm, nuchtere darm. **Verstandskiezen (rechts en links beneden):** hart- en dunnedarmmeridiaan, schouders, ellebogen, middenoren. **Verstandskies (rechts beneden):** onderste gedeelte van de dunne darm. **Verstandskies (links beneden):** nuchtere darm. Ten slotte bestaat er ook nog een energetische verbinding tussen de tanden en de rugwervels.

Tanden, krijgen van: posities 1, 14 en 17 toepassen; ook een hand op de mond of de wang opleggen.

Tandpijn: plaatselijk behandelen (zie ook onder 'cariës' en 'tanden').

Tandvleesontsteking: plaatselijk behandelen (zie ook onder 'ontsteking' en 'cariës').

Transpireren: posities 10, 13, 15, 16 en 17 toepassen; daarnaast reiki twee vingerbreedten naar binnen van de duimwortels laten stromen.

Twaalfvingerigedarmzweer: plaatselijk en met posities 1, 6, 8 en 10 behandelen (zie ook onder 'ontsteking').

Uitslag: algehele behandeling; aanvullend posities 5, 6, 10, 12 en 13 geven; bovendien gericht reiki-werk aan de 6e chakra ('derde oog').

Vasten: posities 5, 8, 10, 12, 14 en 17 toepassen.

Vergiftiging: meteen een dokter bellen! (Zie ook onder 'ontgifting'.)

Verkeerde houding: gericht de 5e chakra met reiki bewerken; voorts de chakra op de hoogte waarvan de verkeerde houding het meest uitgesproken is; bovendien de binnenkant van de voeten van grote teen tot hiel behandelen.

Verkoudheid (zie ook onder 'ontstekingen'): posities 1, 5 en 9 uitvoeren.

Vermoeidheid: chakrabalancering geven en posities 1, 2, 10, 14 en 17 toepassen.

Verslaving: gericht reiki-werk aan de 6e chakra ('derde oog'). Algehele behandelingen voor lichamelijke en psychische ontgifting. Ook posities 1, 5, 6, 8, 11, 12 en 13 gebruiken.

Verstopping (zie ook onder' verteringsstoornissen'): de ene hand onder de navel, de andere onder de nek opleggen.

Verstuiking: direct 15 tot 20 minuten plaatselijk behandelen; daarna 2-3 keer per dag, maar ook beslist een dokter bezoeken in verband met mogelijke gewrichtsschade.

Verteringsstoornissen: posities 4, 6, 8, 10, 11, 12, 14 en 16 gebruiken.

Verwondingen: plaatselijk behandelen, maar niet aanraken! (Zie ook onder 'shock' en 'ongevallen'.)

Verzwakking: algehele behandelingen. Daarnaast posities 17, 14, 13 en 8 geven (het effectiefst in deze volgorde!).

Winderigheid: posities 4, 6, 7 en 8; aanvullend reiki plaatselijk in de voetgewrichten en hielen laten stromen.

Woedeaanval: reiki in de polsen, voor aan de bovenkant van de voeten en één handbreedte boven de enkels laten stromen; positie 8 gebruiken. Geneigdheid tot woedeaanvallen met de posities 6, 8, 11 en 14 behandelen.

Zenuwinstorting: posities 1, 4, 8, 10, 11, 12, 14 en 17 gebruiken; beide handen dwars over de kruin leggen.

Zweren: reiki plaatselijk (geen contact wanneer het de huid betreft!) binnen laten stromen; bij maagzweren ook de buitenkant van de bovenarmen behandelen.

AANWIJZINGEN BIJ DE PENDELBLADEN

De pendelbladen kunnen je helpen de effectiefst mogelijke behandelingsmethode voor iedere situatie vast te stellen en, indien je dit wenst, een grondiger onderzoek naar de oorzaken te verrichten. Zoals ik in het boek al uiteengezet heb, maken zulke hulpmiddelen zich na verloop van tijd zelf overbodig, en dat is ook goed. Tot dan kan het werken met pendel en orakels je nochtans vele goede adviezen betreffende je omgaan met reiki geven. Aangezien alle alternatieven onmogelijk in de bladen te verwerken zijn, heb ik behalve enkele standaardbladen, die in de praktijk nuttig zijn gebleken, een aantal andere zonder inschriften opgenomen. Je kunt ze naar je eigen ideeën invullen, zodat je op jouw situatie toegesneden analysemogelijkheden verkrijgt. Op alle voorgedrukte bladen vind je een veld voor 'fouten'. Dat is belangrijk. Daar zal de pendel naar uitslaan, wanneer op het blad geen geschikt antwoord voorhanden is of je op dat moment om andere redenen geen zinnig resultaat met de pendel kunt verkrijgen. Verdere opheldering over de 'belemmering' kun je verkrijgen door met het blad 'foutbeschrijving' te werken. Wanneer je met de pendel wilt werken aan een iets wat heel belangrijk voor je is, moet je telkens weer de pendel vragen of de uitkomst wel klopt en bij twijfel advies vragen aan een pendelaar die niet gevoelsmatig betrokken is bij de zaak. Ook aanvullend werken met een orakel, zoals de I Tjing, Tarot of runen, is in zo'n geval aanbevelenswaardig om fouten zoveel mogelijk uit te sluiten. Heb je nog nooit serieus met een pendel gewerkt of er nog slechts weinig ervaring mee, dan doe je er goed aan een goed seminarie te bezoeken, over het onderwerp te lezen en een tijdje met eenvoudige opgaven te oefenen, voordat je er aan belangrijke dingen mee gaat werken, want anders kan heel de zaak verschrikkelijk uit de hand lopen.

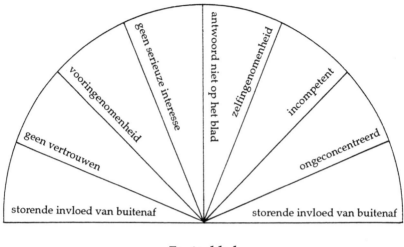

Foutenblad

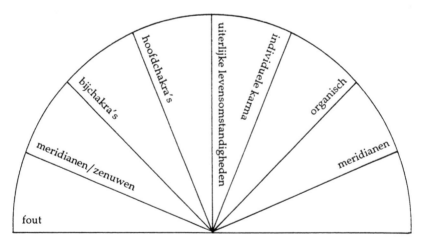

Overzicht van oorzaken

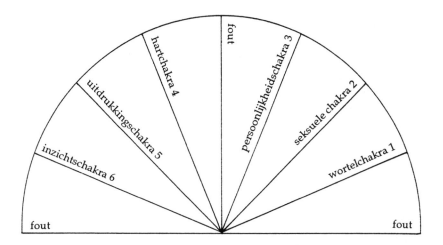

De zes hoofdchakra's

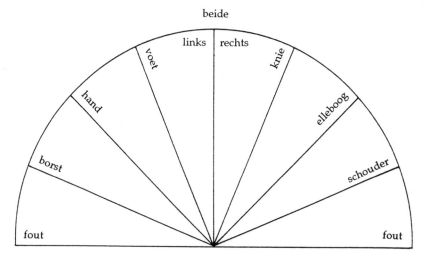

Bijchakra's

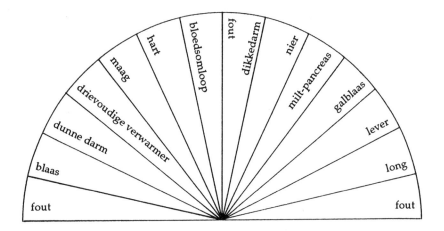

De 12 meridianen

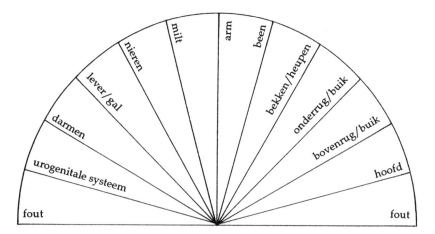

Organen en lichaamsstreken

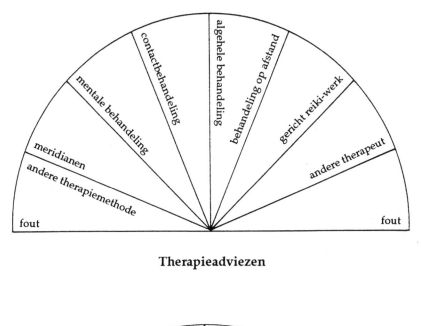

Therapieadviezen

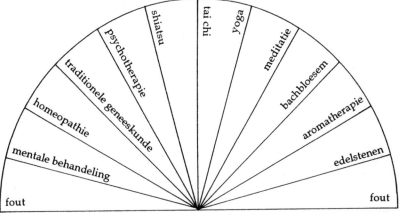

Aanvullende hulpmiddelen

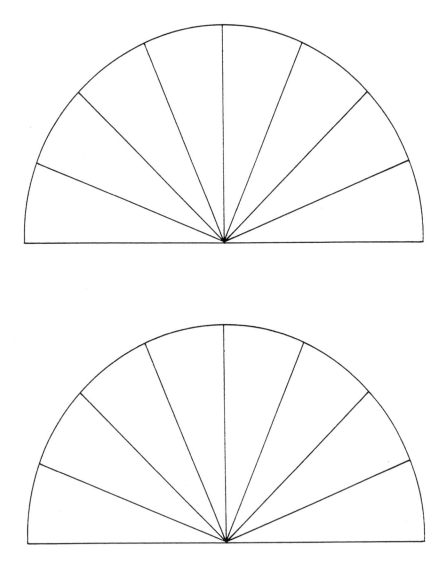

Het energetisch schoonmaken van sieraden

Vergeet de vaak gehoorde raad en maak je sieraden nooit en te nimmer met zout schoon! Die wijze van schoonmaken schaadt meer dan ze baat en kan bepaalde stenen zelfs totaal verwoesten!

Bruikbare schoonmaakmethoden:
Zorg dat je droog, schoon kwartszand hebt en laat dat enkele dagen door de zon beschijnen. De straling van de zon reinigt het energetisch en laadt het positief op. Begraaf je sieraden ongeveer een dag in dit kwartszand. Tot slot van de behandeling spoel je je sieraden kort met koud water af.

Houd je schoon te maken sieraden enkele minuten onder stromend koud water. Hoe kouder het water, hoe beter, want het trekt dan des te meer energie aan.

Laat je sieraden simpel een paar dagen in het zonlicht liggen en spoel ze daarna met koud water af.

Wanneer er geen andere mogelijkheid is, kun je je sieraden ook zonder verdere hulp alleen met de reiki-kracht en een visualisatie schoonmaken. Houd ze daartoe in je handen en stel je voor dat je ze onder het sprankelende fris-koude water van een helder watervalletje houdt. Voor je innerlijk oog zie je hoe het water de disharmonieuze energieën in donkere slierten uit de sieraden spoelt. Wacht tot het gevisualiseerde water geen *donkere* kleur meer heeft. Je sieraden zijn nu schoon!

Voordat je een van de beschreven methoden toepast, moet je je ervan overtuigen dat de aura minstens bij je handen en onderarmen verschoond is van storende energieën.
Als principe geldt: de sieraden die je dagelijks draagt, moet je ook dagelijks schoonmaken, vooral wanneer je met veel mensen in contact komt en veelvuldig in gespannen situaties belandt.